NOUVEAUX CLASS

Collection fondée
FÉLIX GUIRAND

continuée par
LÉON LEJEALLE (1949 à 1968)   et   **JEAN-POL CAPUT** (1969 à 1972)
Agrégés des Lettres

L'ASSOMMOIR

extraits

Librairie Larousse (Canada) limitée, propriétaire pour le Canada des droits d'auteur et des marques de commerce Larousse. – Distributeur exclusif au Canada : les Éditions Françaises Inc., licencié quant aux droits d'auteur et usager inscrit des marques pour le Canada.

« L'ABSINTHE »

Tableau d'Edgar Degas. Paris, musée du Louvre, Jeu de Paume.

ÉMILE ZOLA

L'ASSOMMOIR

extraits

avec une Notice biographique, une Notice historique et littéraire,
des Notes explicatives, une Documentation thématique, des Jugements,
un Questionnaire et des Sujets de devoirs,

par

MARCEL GIRARD

Agrégé des Lettres

ÉDITION REMISE À JOUR

LIBRAIRIE LAROUSSE

17, rue du Montparnasse, et boulevard Raspail, 114
Succursale : 58, rue des Écoles (Sorbonne)

RÉSUMÉ CHRONOLOGIQUE
DE LA VIE D'ÉMILE ZOLA
1840-1902

1840 — **Naissance à Paris**, le 2 avril, d'**Émile Zola**, fils de François Zola, ingénieur civil italien d'origine vénitienne, et d'Émilie Aubert, fille d'artisans d'origine beauceronne, établis à Paris.

1843 — Les Zola s'installent à Aix-en-Provence, où François Zola va construire un barrage de retenue des eaux (sur le territoire de la commune du Tholonet).

1847 — Mort de François Zola, à Marseille. Sa veuve, spoliée par d'habiles hommes d'affaires, se débat sans succès dans le règlement des affaires de la Société du canal Zola.

1852 — En octobre, Émile Zola entre au **collège d'Aix**, où il devient le **camarade de Paul Cézanne**, son aîné d'un an, et de Louis Baille. Dans la section latin-sciences du collège, Zola se montre un excellent élève. Premiers essais littéraires, dont la plupart sont aujourd'hui perdus. On trouve dans l'*Œuvre* l'évocation de cette période de sa vie.

1858 — Les Zola, ayant perdu tout espoir de tirer un profit matériel de la construction du barrage Zola, viennent s'installer à Paris (février), dans le voisinage du Quartier latin. Le 1er mars, Émile entre au lycée Saint-Louis, en seconde; ses succès scolaires deviennent inégaux. Il continue à écrire, mais se croit désormais une vocation exclusive de poète.

1859 — Échec au baccalauréat. Vacances d'été à Aix. Zola **renonce aux études universitaires.**

1860-1861 — Il mène une vie insouciante, oisive et pauvre, travaille quelque temps à l'administration des Docks, retourne à la bohème et connaît des moments d'**intense misère physique et morale,** aggravés par une aventure amoureuse dont on trouve la trace sans sa *Correspondance* et dans la *Confession de Claude.*

***

1862 — Il entre en qualité de commis à la **Librairie Hachette** (1er février), où il deviendra bientôt le chef du bureau de la publicité. Le 31 octobre, il est **naturalisé français.**

1863 — Il publie deux *Contes à Ninette* dans la *Revue du mois*, à Lille, et collabore au *Journal populaire* de Lille. Il se détourne des vers, sur le conseil, a-t-on dit, de l'éditeur Louis Hachette.

1864 — Les *Contes à Ninon* (décembre), publiés par l'éditeur J. Hetzel grâce à l'appui du critique E. Deschanel, vulgarisateur des thèses de Taine.

© *Librairie Larousse,* 1972.

ISBN 2-03-0 34980-1

1865 — Rencontre de Gabrielle-Alexandrine Meley, qui devient sa compagne. — Il lit Stendhal, Flaubert, Balzac, Taine, les Goncourt et élabore sa doctrine littéraire : « L'œuvre d'art est un coin de la nature vu à travers un tempérament. » Soirées de discussions littéraires et artistiques le jeudi, avec Cézanne, Baille, le sculpteur Solari, le journaliste M. Roux, tous Aixois « montés » à Paris. Il cherche, sans succès, à faire jouer *la Laide*, une comédie restée inédite. *La Confession de Claude* (novembre), ébauchée depuis 1862, encore très romantique de ton, fait pourtant scandale et classe Zola parmi les adeptes de la littérature « physiologique ».

1866 — **Zola quitte la Librairie Hachette** et vit désormais de sa plume. **Journalisme**, à *l'Événement* (*Salon*, chronique des livres), au *Salut public* de Lyon, au *Figaro*. **Polémique en faveur de Manet.** Il publie divers recueils critiques (*Mes haines, Mon salon*) et un roman, *le Vœu d'une morte*. — Séjours à Bennecourt, près de Mantes, avec Cézanne.

1867 — Difficultés matérielles. Un roman-feuilleton : *les Mystères de Marseille*. Un roman « physiologique » : **Thérèse Raquin**.

1868 — La Préface à la deuxième édition de *Thérèse Raquin* affirme pour la première fois les principes du naturalisme. Les Zola s'installent sur la rive droite, dans le quartier des Batignolles. A partir de juin, collaboration régulière à *la Tribune*, hebdomadaire d'opposition (satire politique, chroniques littéraires, contes). Décembre : *Madeleine Férat*. Zola prépare l'*Histoire naturelle et sociale d'une famille sous le second Empire* et noue des relations amicales avec les Goncourt.

***

1869 — **Plan des *Rougon-Macquart* :** le projet est accepté par l'éditeur A. Lacroix.

1870 — Mariage avec Gabrielle-Alexandrine Meley (31 mai). — *La Fortune des Rougon* (roman du coup d'État en province) paraît en feuilleton dans *le Siècle*. Préparation de *la Curée*. Le 7 septembre, départ pour Marseille; Zola y intrigue pour obtenir une sous-préfecture : ambition politique de courte durée, suscitée surtout par la gêne matérielle. — Le 11 décembre, il va à Bordeaux, où il est nommé secrétaire particulier de Glais-Bizoin, membre de la délégation générale du gouvernement.

1871-1876 — Zola rentre à Paris en mars 1871, ayant quitté le secrétariat de Glais-Bizoin pour la chronique parlementaire de *la Cloche* et du *Sémaphore de Marseille*. Pendant la Commune, il est à Paris, puis à Bennecourt. Il n'est pas de ceux qui injurient les communards. — Après avoir publié chez l'éditeur A. Lacroix *la Fortune des Rougon* et *la Curée*, premiers volumes de ses *Rougon-Macquart*, Zola passe contrat avec l'éditeur G. Charpentier, qui publiera désormais toute son œuvre. *Le Ventre de Paris* (1873), *la Conquête de Plassans* (1874), *la Faute de l'abbé Mouret* (1875), *Son Excellence Eugène Rougon* (1876) ne reçoivent qu'un succès d'estime. Il en est de même des *Nouveaux Contes à Ninon* (1874). Mais ils sont prisés de Flaubert, d'Edmond de Goncourt et de Mallarmé; Zola est devenu l'ami de ces derniers ainsi que de Daudet et du romancier russe Tourgueniev. Après deux années de chroniques dans *la Cloche* (1871-1872), il n'écrit plus guère dans la presse parisienne, qui, surveillée par le gouvernement de l'Ordre moral, redoute la hardiesse de ses thèses politiques et esthétiques. Mais il collabore régulièrement au *Sémaphore de Marseille* et, à partir de 1875, à une revue russe de Saint-Pétersbourg, *le Messager de l'Europe*. — En 1873, le drame qu'il a tiré de *Thérèse Raquin* n'a eu qu'une très brève carrière au théâtre de la Renaissance. En 1874, échec des *Héritiers Rabourdin*, comédie, au théâtre de Cluny.

1877-1881 — *L'Assommoir* (1877) fait de Zola le romancier le plus lu et le plus discuté de Paris, en même temps que le **chef incontesté du « naturalisme »**. Enrichi, Zola **achète à Médan une propriété**, où il passera chaque année plusieurs mois. — Nouvel échec au théâtre avec *le Bouton de rose*, comédie (1878). *Une page d'amour* (1878), roman sentimental, rassure la critique; mais *Nana* (1880) suscite un nouvel assaut contre la prétendue immoralité de l'auteur. — Zola fait ses adieux au journalisme et publie plusieurs recueils de ses principaux articles : *le Roman expérimental* (1880), *les Romanciers naturalistes*, *le Naturalisme au théâtre*, *Nos auteurs dramatiques*, *Documents littéraires* (1881), *Une campagne* (1882). *Les Soirées de Médan* (1880) attestent la solidarité momentanée d'un groupe aux tempéraments et aux talents divers (**Zola Maupassant, Huysmans,** Céard, Alexis, Hennique).

1882-1887 — Indifférent aux clameurs, Zola continue son œuvre, à raison de quatre pages tous les matins. *Pot-Bouille* (1882), violente satire morale de la bourgeoisie; *Au bonheur des dames* (1883), tableau des grands magasins; *la Joie de vivre* (1884), où se reflètent ses angoisses et ses doutes; *Germinal* (1885), roman de la misère et de la révolte ouvrières; *l'Œuvre* (1886), roman des peintres. *La Terre* (1887), évocation de la vie paysanne, chargée de violents symboles, lui vaut de nouvelles attaques qui s'expriment dans le « Manifeste des Cinq ». Au théâtre, plusieurs de ses romans, adaptés par W. Busnach, connaissent des fortunes inégales (*l'Assommoir*, 1879; *Nana*, 1881; *Pot-Bouille*, 1883; *le Ventre de Paris*, 1887; *Renée*, tirée de *la Curée*, 1887; *Germinal*, 1888). Divers contes et nouvelles publiés entre 1875 et 1880 dans la presse sont recueillis en volumes (*le Capitaine Burle*, 1882; *Naïs Micoulin*, 1884).

1888-1893 — Tandis qu'il écrit *le Rêve* (1888), Zola s'éprend d'une jeune lingère engagée par Alexandrine Zola : Jeanne Rozerot. Elle lui donnera deux enfants, Denise (1889) et Jacques (1891). *Le Docteur Pascal* (1893), dernier roman du cycle, devra une partie de ses thèmes à cette rencontre. — *La Bête humaine* (1890) prétend mettre à nu les racines physiologiques du crime, dans le décor du chemin de fer Paris-Le Havre. *L'Argent* (1891) dépeint la Bourse et les fièvres de la spéculation. *La Débâcle* (1892) fait revivre Sedan. — L'offensive du symbolisme et de l'idéalisme dans la poésie contemporaine n'a pas ébranlé l'admiration de Zola pour l' « immense labeur positiviste des cinquante dernières années » (1891). — Il soutient la rénovation du théâtre tentée par André Antoine, au Théâtre-Libre, où se joue *Madeleine* (1889). — Il confie au musicien A. Bruneau le livret de *l'Attaque du moulin* (1893), opéra tiré de la nouvelle publiée dans *les Soirées de Médan*. — La suspicion dans laquelle le tiennent les milieux conservateurs fait échouer ses candidatures à l'Académie française.

***

1894 — Premier ouvrage de la série des *Trois Villes* : **Lourdes;** réactions hostiles de la critique catholique. — Zola fait un voyage en Italie, invité par le journal libéral *la Tribuna*. La condamnation du capitaine Dreyfus, le 22 décembre 1894, ne retient pas son attention.

1895-1897 — Zola reprend la plume du journaliste pour une série d'articles dans *le Figaro*, sur le métier littéraire, la politique contemporaine, l'antisémitisme, la peinture, etc. (*Nouvelle Campagne*, 1896). — *Rome* (1896) décrit les intrigues de la politique italienne et vaticane, agrémentées d'une romanesque intrigue amoureuse. — Les démarches de Louis Leblois, avocat du colonel Picquart, de Scheurer-Kestner, président du Sénat, alertent Zola sur la persécution du capitaine Dreyfus et le convainquent de l'innocence du condamné. En novembre et décembre 1897, Zola publie trois articles dans *le Figaro* en faveur de Dreyfus, cependant que va paraître ***Paris***, troisième volume des *Trois Villes* (1898), qui fait revivre l'affaire de Panama et les attentats anarchistes. — Livret de l'opéra *Messidor* (1897), confié à A. Bruneau.

*
* *

1898-1899 — Indigné par l'acquittement d'Esterhazy, Zola publie ***J'accuse***, dans *l'Aurore* (13 janvier 1898), journal de Clemenceau : vigoureuse dénonciation des machinations par lesquelles l'état-major a obtenu la condamnation de Dreyfus et cherche à empêcher la révision du procès. Le 23 février, après un procès tumultueux, Zola est condamné à un an de prison et 3 000 francs d'amende. Le 18 juillet, il s'exile en Angleterre, où il vivra près d'un an. Son intervention a galvanisé les défenseurs de Dreyfus et rendu la révision inéluctable. Il rentre en France·le 3 juin 1899 après la cassation du procès. Il continuera la bataille dans *l'Aurore*. — En exil, il a écrit le premier roman de la série des *Quatre Evangiles* : ***Fécondité***.

1900-1901 — ***Travail***, évangile d'un socialisme idéaliste inspiré de Fourier, paraît en 1901. ***Vérité***, inspiré de l'Affaire, ne paraîtra qu'en 1903, et *Justice* demeurera à peine ébauché. Zola s'y voulait le prophète des valeurs que sa générosité et son humanisme croyaient devoir servir de loi au XXe siècle.

1902 — **Il meurt à Paris** d'une **asphyxie** probablement accidentelle, mais peut-être malveillante (29 septembre).

1908 — Transfert des cendres de Zola au Panthéon.

Emile Zola avait dix-neuf ans de moins que Flaubert, Champfleury et Baudelaire, dix-huit de moins qu'Edmond de Goncourt, douze de moins que Taine, dix de moins que Jules de Goncourt, sept de moins que Duranty, le même âge que Daudet. Il avait deux ans de plus que Mallarmé, quatre de plus que Verlaine et A. France, huit de plus que Huysmans, dix de plus que Maupassant et que P. Loti, quatorze de plus que Rimbaud.

Il avait huit ans de moins que Manet, un de moins que Cézanne, le même âge que Monet et Rodin.

ÉMILE ZOLA ET SON TEMPS

	la vie et l'œuvre d'Émile Zola	le mouvement intellectuel et artistique	les événements politiques
1840	Naissance d'Émile Zola à Paris (2 avril).	V. Hugo : les Rayons et les Ombres. Pr. Mérimée : Colomba. G. Sand : le Compagnon du tour de France.	Monarchie de Juillet. Thiers. Ministère Guizot. Agitation bonapartiste.
1858	Émile Zola et sa mère quittent Aix et s'installent à Paris.	Michelet : l'Amour. E. Feydeau : Fanny.	Attentat d'Orsini. Loi de sûreté générale.
1862	Zola entre à la Librairie Hachette (1er février).	V. Hugo : les Misérables. G. Flaubert : Salammbô. Manet : Lola de Valence.	Début de l'Empire libéral. Début de la guerre au Mexique.
1864	Contes à Ninon. Débuts dans le journalisme.	V. Hugo : William Shakespeare. Vigny : les Destinées. H. Taine : Histoire de la littérature anglaise.	Progrès de l'opposition à l'Empire. — Fondation, à Londres, de l'Association internationale des travailleurs.
1865	La Confession de Claude.	V. Hugo : les Chansons des rues et des bois. Cl. Bernard : Introduction à l'étude de la médecine expérimentale. H. Taine : Nouveaux Essais de critique et d'histoire. E. et J. de Goncourt : Germinie Lacerteux. Manet : Olympia.	Entrevue de Biarritz entre Napoléon III et Bismarck.
1867	Thérèse Raquin.	E. et J. de Goncourt : Manette Salomon. Karl Marx : le Capital.	Rétablissement de l'interpellation parlementaire (19 janvier). Exposition internationale à Paris.
1870	Séjour à Marseille, puis à Bordeaux. Journalisme.	Mort de Mérimée et de J. de Goncourt. En peinture, « école des Batignolles » (Manet, Bazille, Renoir, etc.).	Manifestations républicaines à Paris. Déclaration de guerre à la Prusse (19 juillet). Défaite de Sedan (2 septembre). Chute de l'Empire (4 septembre). Siège de Paris.
1871	La Fortune des Rougon, premier volume des Rougon-Macquart. La Curée.	Deuxième volume du Parnasse contemporain (Mallarmé, Verlaine, etc.).	Armistice (28 janvier). Insurrection à Paris (la Commune, 18 mars-28 mai).
1873	Le Ventre de Paris. Thérèse Raquin, au théâtre.	A. Daudet : les Contes du lundi. A. Rimbaud : Une saison en enfer.	Offensive conservatrice. Élection de Mac-Mahon à la présidence de la République.
1876	Son Excellence Eugène Rougon. Critique dramatique et littéraire, dans le Bien public, puis dans le Voltaire (1878).	A. Daudet : Jack. J.-K. Huysmans : Marthe. St. Mallarmé : l'Après-midi d'un faune (ill. par Manet). Deuxième exposition impressionniste.	Victoire des républicains aux élections législatives. Ministères Dufaure et Jules Simon.

1877	*L'Assommoir.* Amitié avec Flaubert, E. de Goncourt, A. Daudet.	G. Flaubert : *Trois Contes.* E. de Goncourt : *la Fille Elisa.* A. Daudet : *le Nabab.*	Crise du 16-Mai, provoquée par Mac-Mahon. Victoire républicaine en octobre.
1880	*Nana. Le Roman expérimental. Les Soirées de Médan.*	Mort de Flaubert et de Duranty. V. Hugo : *l'Ane.* Schopenhauer : *Pensées, maximes et fragments* (trad. franç.).	Amnistie pour les communards. La République s'organise.
1881	*Œuvres critiques.*	G. Flaubert : *Bouvard et Pécuchet.* J.-K. Huysmans : *En ménage.*	Lois sur la presse, sur le droit de réunion. Succès des gauches aux élections législatives.
1885	*Germinal.*	Mort de V. Hugo. H. Becque : *la Parisienne.* G. de Maupassant : *Bel-Ami; Contes du jour et de la nuit.* Premiers manifestes symbolistes.	Renforcement du parti radical. Lois sur l'enseignement, sur l'autorisation des syndicats. Grèves.
1887	*La Terre.* Le « Manifeste des Cinq » contre Zola.	G. de Maupassant : *Mont-Oriol; le Horla.* St. Mallarmé : *Poésies.* Fondation du Théâtre-Libre par A. Antoine.	Agitation nationaliste et révisionniste (général Boulanger, P. Déroulède). Développement de l'antisémitisme.
1888	*Le Rêve.* Liaison avec Jeanne Rozerot, qui lui donnera deux enfants.	A. Daudet : *l'Immortel.* G. de Maupassant : *Pierre et Jean.* M. Barrès : *Sous l'œil des barbares.*	Développement du boulangisme. — Avènement de Guillaume II.
1893	*Le Docteur Pascal,* vingtième et dernier volume des *Rougon-Macquart.*	Mort de Taine et de Maupassant. A. France : *les Opinions de Jérôme Coignard.* P. Claudel : *la Ville.*	Renforcement des syndicats et des organisations socialistes. Affaire de Panama. Attentats anarchistes.
1894	*Lourdes,* premier volume des *Trois Villes.*	A. France : *le Lys rouge.* Cl. Debussy : *Prélude à l'après-midi d'un faune.*	Succession de cabinets modérés. Condamnation du capitaine Dreyfus (décembre).
1898	*J'accuse* (13 janvier). Procès et exil en Angleterre.	Mort de Mallarmé. E. Rostand : *Cyrano de Bergerac.* P. et M. Curie découvrent le radium.	Acquittement d'Esterhazy (11 janvier). Déchaînement de la campagne antidreyfusarde.
1899	Rentrée en France. *Fécondité,* premier volume des *Quatre Évangiles.*	Moréas : *Stances.*	Arrêt de révision du procès Dreyfus (3 juin). Ministère Waldeck-Rousseau de « défense républicaine ».
1902	Zola meurt accidentellement à Paris (29 septembre).	Gide : *l'Immoraliste.* Cl. Debussy : *Pelléas et Mélisande.*	Ministère Combes.

Émile Zola, par Manet (1868).

[Musée du Louvre.]

Phot. Giraudon.

L'ASSOMMOIR
1877

NOTICE

Ce qui se passait en 1875-1877. — En politique intérieure : *Débuts de la IIIᵉ République. Apres luttes contre les tentatives de restauration monarchiste. Victoire des républicains (amendement Wallon, 1875 ; élections de février-mars 1876 ; ministère Jules Simon). Coup de force du maréchal Mac-Mahon contre la Chambre (16 mai 1877). Dissolution, élections d'octobre : le pays réélit une majorité de députés républicains. Congrès national ouvrier de Paris (octobre 1876).*

A l'extérieur : Agitation révolutionnaire en Orient. Insurrection de la Bosnie-Herzégovine, révolte en Bulgarie, guerres sanglantes dans les Balkans entre la Turquie, d'une part, et, d'autre part, la Serbie et le Monténégro (1876), puis la Russie (1877). En Russie, formation du mouvement Terre et Liberté.

En Occident, la question sociale détermine partout de profonds remous. Union des partis ouvriers au congrès de Gotha (1875), dissolution de la première internationale (1876), réorganisation du parti libéral anglais au congrès de Birmingham (1877), grève générale des chemins de fer aux Etats-Unis et arrestation des meneurs (24 juillet 1877), législation sur le travail des femmes et des enfants en Angleterre, formation de l'Armée du salut. En Italie, en Belgique, victoire des partis libéraux.

Dans les sciences et dans les techniques : *Marcelin Berthelot poursuit ses travaux de synthèse chimique et de thermochimie. Invention du téléphone par Graham Bell (1876), construction du premier moteur à explosion par Otto (1876), invention du microphone et du phonographe par Charles Cros et Edison (1877), etc. Edison et Swan inventent la lampe à incandescence ; Cailletet découvre le principe de la liquéfaction des gaz ; grands progrès dans l'industrie du fer, du froid, et dans l'utilisation de l'énergie hydro-électrique. Pasteur entreprend l'étude de la maladie du charbon (1877).*

Dans la vie intellectuelle : *Taine commence ses* Origines de la France contemporaine *(1875).* Renan publie les *Évangiles,* Cournot sa Revue sommaire des doctrines économiques, *Cl. Bernard la* Science expérimentale *(1878). Travaux de Charcot à la Salpêtrière. A*

Londres, Karl Marx travaille au Capital, tandis que Bakounine meurt à Berne (1876). Travaux de sociologie de Spencer, de Le Play. Nietzsche en Allemagne. Premières traductions françaises de Schopenhauer. Carlyle dénonce les maux de la société moderne. Ruskin veut sauver le monde ouvrier du désespoir et de la misère par le culte de la Beauté.

EN LITTÉRATURE : Victor Hugo est à l'apogée de sa gloire. Le Parnasse brille d'un éclat officiel (Leconte de Lisle, Léon Dierx, Heredia...), mais la poésie française est en train de se renouveler par l'action de Verlaine (Romances sans paroles, 1874) et de Mallarmé (l'Après-midi d'un faune, 1876). Les éléments essentiels du symbolisme sont déjà constitués.

Les romanciers réalistes se sont imposés contre l'idéalisme mondain d'Octave Feuillet : Flaubert publie les Trois Contes (1877), Edmond de Goncourt la Fille Élisa. Barbey d'Aurevilly, dans ses Diaboliques, vient de créer une forme nouvelle de réalisme mystique.

Au théâtre, Augier et Dumas fils exploitent le succès du drame et de la comédie de mœurs. Vaudevilles féroces de Labiche. Débuts de Henry Becque (la Navette, 1878) et du théâtre naturaliste.

En Angleterre, hostiles à la manière psychologique d'un Meredith, de nombreux écrivains s'affirment dans le roman documentaire à tendance sociale, dans la tradition de Dickens (1812-1870) et de George Eliot (1819-1880) : Trollope, Reade, George Moore, Thomas Hardy. Le roman connaît en Russie une grande époque avec Gontcharov, Tourguéniev (Terres vierges, 1876), Dostoïevsky (qui rédige son Journal d'un écrivain), Tolstoï (Anna Karénine, 1877). En Italie (Capuana, Verga et le vérisme), en Allemagne (Hacklander, Fontane), en Hollande (Emants), en Espagne, en Pologne, partout, le roman réaliste se développe et recevra bientôt l'influence du naturalisme français.

DANS LES ARTS. — En peinture : Le groupe impressionniste s'impose peu à peu, malgré l'incompréhension officielle. Pendant les années 1875-1877, les peintres affectionnent surtout les paysages urbains et les sujets naturalistes : Manet (le Linge, Nana, la Serveuse de bocks), Renoir (les Grands Boulevards, le Moulin de la Galette), Monet (la série de la Gare Saint-Lazare), Sisley (l'Écluse de Bougival), Degas (les Blanchisseuses, l'Absinthe), Pissaro (les Toits rouges). Gauguin et Cézanne en sont encore à leur période réaliste. — En sculpture : Rodin (l'Age d'airain, 1877) et Dalou (qui fait admettre son Monument de la République). Construction du Trocadéro. — En musique : Vogue d'A. Thomas, de Gounod, de Massenet, de Chabrier, de Saint-Saëns, etc. Premiers chefs-d'œuvre de César Franck. En Allemagne, Brahms et Wagner (composition de Parsifal). En Russie, triomphes de Borodine et de Moussorgsky.

Dans une France qui renaît après les désastres de 1870-1871, la IIIe République prépare à Paris l'Exposition universelle de 1878.

La publication de « l'Assommoir ». — *L'Assommoir*[1] parut d'abord en feuilleton dans *le Bien public*, grand quotidien parisien du soir, à partir du 13 avril 1876, avec ce sous-titre : *Roman de mœurs parisiennes*. C'était le septième volume des *Rougon-Macquart*. Zola l'avait vendu pour 8 000 francs[2], avant même que le manuscrit en fût achevé, au rédacteur en chef Yves Guyot, un radical imbu de philosophie matérialiste, qui voulait faire de son journal l'organe de la gauche républicaine. L'auteur se voyait confier en même temps une revue dramatique, qu'il inaugurait par une attaque contre Dumas fils[3].

Yves Guyot avait frappé trop fort. Les audaces du roman provoquent aussitôt les protestations des lecteurs, honnêtes républicains bourgeois, et les lettres de désabonnement se multiplient. Le 7 juin, la publication est interrompue à la fin du chapitre VI sous le prétexte que l'auteur, s'étant laissé devancer, a demandé un délai. *L'Assommoir* est aussitôt remplacé au « rez-de-chaussée » de la deuxième page par *les Compagnons du glaive*, de Léopold Stapleaux, « roman de cape et d'épée »...

Le feuilleton fut repris par *la République des lettres*, hebdomadaire littéraire que dirigeait alors le poète parnassien Catulle Mendès. Malgré leurs divergences de doctrine, parnassiens et pré-symbolistes se rencontraient dans les colonnes de cette revue avec les romanciers réalistes et naturalistes : Flaubert, Huysmans ou Tourguéniev y voisinaient avec Banville et Mallarmé. Une visite menaçante du procureur de la République ne détourna pas Mendès de son dessein. Précédé d'une retentissante campagne d'affiches, *l'Assommoir* acheva sa carrière du 9 juillet 1876 au 7 janvier 1877, au milieu d'un bruit énorme de succès et de scandale. Par une combinaison publicitaire fort habile, les abonnés du *Bien public* qui le désirèrent purent recevoir *la République des Lettres* gratuitement. Mendès octroya à Zola 1 000 francs supplémentaires.

Le roman parut en volumes le 24 février 1877[4], chez Georges Charpentier, qui, depuis 1873, était devenu l'éditeur et l'ami d'Émile Zola, comme de la plupart des romanciers réalistes des deux générations. La vente en fut prodigieuse pour l'époque : 38 éditions pendant les neuf premiers mois, la 50ᵉ le 30 novembre 1878, le 100ᵉ mille à la fin de 1881. Une édition populaire en cinquante-neuf livraisons à 10 centimes, chez Marpon et Flammarion, avec de remarquables illustrations d'André Gill, commencée le 11 mai 1877, fut enlevée très rapidement. Zola atteignait l'aisance et la célébrité après dix années de production mal récompensée. C'est *l'Assommoir*, enfin, qui le consacre comme chef de l'école naturaliste.

1. On consultera L. Deffoux : *la Publication de « l'Assommoir »* (Malfère, 1931); **2.** Environ 1 million de francs 1953; **3.** Ces chroniques dramatiques ont été réunies dans *le Naturalisme au théâtre* ; **4.** Un tirage à part de la partie publiée dans *le Bien public* est mentionné à la date du 8 juillet 1876. C'est la première édition originale des six premiers chapitres.

Dans l'ensemble, la critique se montra très sévère pour *l'Assommoir*. On lui reprochait certains détails d'une vulgarité choquante, et particulièrement son langage volontairement grossier, voire ordurier. Albert Millaud du *Figaro*, le royaliste Armand de Pontmartin, l'élégant Paul de Saint-Victor, Jules Claretie dans *la Presse*, Édouard Scherer dans *le Temps* et la plupart des chroniqueurs mondains se partagent entre la stupeur, l'ironie, la pitié, la colère... Dans la presse républicaine et socialisante, les attaques se font tout aussi violentes : on accusait Zola d'avoir calomnié le peuple et discrédité ainsi le suffrage universel. Arthur Ranc, héros des luttes libérales sous l'Empire, publie une brochure anonyme, à Bruxelles, pour y prendre la « défense » des ouvriers[1]. Le député Charles Floquet dénonce « ce calomniateur public par son œuvre malsaine et ordurière, cet auteur d'un pamphlet ridicule dirigé contre les travailleurs et forgeant ainsi des armes pour la réaction ». Le rédacteur du journal *le Citoyen*, Achille Secondigné, lance une parodie méchante de *l'Assommoir*[2], dans laquelle ce livre est qualifié de « mauvaise action ». Victor Hugo lui-même, si l'on en croit Alfred Barbou, dénie à Zola « le droit de nudité sur la misère et sur le malheur ». Enfin, le journal *le Télégraphe* formule contre lui une accusation de plagiat (17 mars 1877), montrant sans peine les emprunts faits au *Sublime* de Denis Poulot. Zola répondit immédiatement au *Télégraphe* (18 mars) pour reconnaître sa dette et proclamer son droit de faire usage de « documents », comme il avait répondu à Albert Millaud (lettres du 3 et du 9 septembre 1876) et aux « républicains idéalistes » dans *le Bien public* du 13 février 1877[3].

L'œuvre de Zola fut défendue de plusieurs côtés, et d'abord par les quelques jeunes gens qui s'étaient engagés en même temps que lui dans la voie du roman naturaliste. Dès 1876, Huysmans publie à Bruxelles une brochure enthousiaste : *Émile Zola et « l'Assommoir »*. Maupassant écrira en 1883 une élogieuse étude sur celui qu'il considère alors comme le maître de sa génération[4]. Céard et Hennique entrent en rapport avec lui, et ainsi se constitue — avec l'ami de la première heure, Paul Alexis[5] — l'« équipe » qui restera connue dans l'histoire littéraire sous le nom de « Groupe de Médan », d'après le petit bourg, au bord de la Seine, où Zola acheta une villa en 1878 avec les droits d'auteur de *l'Assommoir*. En 1880, un recueil collectif de nouvelles, *les Soirées de Médan*, consacrera l'unité temporaire de l'école naturaliste, à laquelle se joindront bientôt, pour une durée plus ou moins longue, Octave Mirbeau,

---

1. Cf. les Jugements à la fin de ce volume ; 2. Achille Secondigné, *les Kerney-Séverol, histoire d'une famille française au XIXe siècle : l'Assommé* (Sagnier, 1877) ; 3. L'édition des *Œuvres complètes* d'Émile Zola par Maurice Le Blond (Bernouard, 1927-1929, 50 vol.) donne à la fin de *l'Assommoir*, en même temps que des extraits des notes de travail, le texte des principales critiques et les réponses de Zola (cf. aussi la *Correspondance*) ; 4. Guy de Maupassant, *Émile Zola* (Quantin, 1883) ; 5. Il écrivit *Émile Zola, notes d'un ami* (Charpentier, 1882).

Louis Desprez,[1] Lucien Descaves, Paul Adam, Édouard Rod[2]. Quant à Flaubert, leur maître à tous, auquel Zola avait dédié son roman « en haine du goût », il fit des réserves sur le style, mais soutint officiellement la cause de son jeune ami[3]. Edmond de Goncourt, qui avait publié *la Fille Elisa* avec quelques semaines de retard sur *l'Assommoir*, se vit souffler le succès et en éprouva quelque rancœur[4].

En dehors des amis littéraires de Zola, le livre fut encore loué, d'un point de vue purement artistique, par Albert Wolff dans *le Figaro*, Georges Brunet dans *la Vie littéraire*, et surtout par Anatole France, qui admire alors son accent de vérité et sa puissance[5]. Brunetière[6], Jules Lemaître[7], Paul Bourget[8], expriment quelques réserves, mais *l'Assommoir*, parmi toutes les œuvres de Zola, gardera pour eux une place à part et trouvera grâce devant leur jugement. Mais c'est des poètes que *l'Assommoir* demeurera le mieux compris, à l'étranger comme en France. Banville, si éloigné pourtant de l'esthétique naturaliste, se sentit solidaire de Zola dans « leur grand amour et leur grand désir de sincérité ». Mallarmé, dont les relations avec Zola furent toujours excellentes, lui écrivit une lettre où la sympathie le dispute à l'intelligence[9].

L'Assommoir fut donc à Paris l'événement de l'année. Les journaux sont pleins de caricatures[10] qui s'y rapportent. Zola devient célèbre sous les traits d'un chiffonnier, d'un égoutier, voire d'un pourceau; à moins qu'on ne le représente répondant militairement au salut de Balzac. Dans les cabarets et les théâtres, aux Bouffes-du-Nord, aux Folies-Bergère, au Cirque-d'Hiver, au Cercle des hydropathes, aux Folies-Marigny, à la Gaîté-Rochechouart, etc., on monte des revues sur *l'Assommoir*, pantomimes et fantaisies de toute nature. La mode s'en mêle bientôt : à Montmartre, on danse dans des costumes de blanchisseuse et de zingueur. Une adaptation théâtrale exploita cette vogue et, d'une certaine façon, vengea Flaubert et Goncourt de leurs échecs à la scène. La première eut lieu à l'Ambigu le 18 janvier 1879. Zola en avait confié la tâche à deux confectionneurs habiles, Busnach et Gastineau; il se borna à en signer la préface et fit bien : l'œuvre n'est qu'un grossier mélodrame. Mais son triomphe multiplia dans les bouches le nom de Zola. Cette fois, ce fut la gloire... Zola l'aima d'abord passionnément; puis il n'en fut pas plus heureux[11].

1. Auteur d'une très bonne étude : *l'Evolution naturaliste* (Tresse, 1884). Sur Desprez, on consultera les excellents travaux de M. Guy Robert; 2. Cf. Édouard Rod, *A propos de « l'Assommoir »* (1879); 3. Cf. les Jugements et la *Correspondance* ; 4. Cf. les Jugements et le *Journal* ; 5. Cet article n'a pas été reproduit dans la *Vie littéraire*. Cf. les Jugements à la fin du volume (article du *Temps*, 27 juin 1877); 6. Dans le *Roman naturaliste* (Calmann-Lévy, 1883); 7. Dans ses fameux *Contemporains* ; 8. Cf. une curieuse lettre inédite publiée par L. Deffoux, *op. cit.*, p. 111; 9. Cf. S. Mallarmé, *Dix-Neuf Lettres de Mallarmé à Zola* (J. Bernard, 1929); 10. John Grand-Carteret a réuni les plus frappantes dans son *Zola en images* (Juven, 1890); 11. Malgré l'utile *Zola* d'Alexandre Zévaès, la meilleure biographie de notre auteur demeure celle de sa fille, Denise Le Blond-Zola : *Émile Zola raconté par sa fille* (1931).

La genèse du roman. — Les origines de *l'Assommoir* remontent au projet initial des *Rougon-Macquart*. Dans le plan général remis à l'éditeur Lacroix en 1869 figure l'indication d'un « roman ouvrier (Paris) », dont sont déjà dessinées les grandes lignes[1]. D'autres notes privées de la même époque en précisent le cadre, un atelier de repasseuse aux Batignolles, et quelques scènes de la vie ouvrière. On lit d'autre part : « rien que des ouvriers dans le roman ». Zola songeait aussi à traiter l'aspect politique; mais, après la Commune, il décidera de le réserver pour un autre roman ouvrier, qui sera *Germinal*.

La première idée d'un ouvrage sur le peuple semble même antérieure à celle du grand roman cyclique. Zola avait vécu dans les milieux populaires et avait plusieurs fois utilisé son expérience dans des contes écrits pour les journaux : *Mon voisin Jacques, le Forgeron, Comment on se marie*[2]... Il aurait aussi songé à écrire l'histoire banale d'une ouvrière sous le titre d'*Augustine Langlois*[3]. Nul doute que l'exemple de *Germinie Lacerteux* (1865) n'ait piqué d'émulation le jeune romancier : il avait consacré un article enthousiaste aux Goncourt[4], qui les premiers « avaient fait entrer le peuple dans le roman ». Mais il comptait bien éclipser ses aînés par la puissance du récit et la vérité du témoignage.

Aussi, de 1869 à 1875, Zola n'a-t-il pas cessé de penser à ce volume des *Rougon-Macquart*, qui lui tenait particulièrement à cœur. Dans *la Fortune des Rougon* (1870-1871), il a posé le personnage de Gervaise — dont sont fixés dès lors l'ascendance et les traits essentiels — et même commencé le récit de sa vie : sa liaison avec Lantier, la naissance de ses deux fils[5], son départ de Paris au début de 1851. L'artiste révolté du *Ventre de Paris* n'est autre que Claude Lantier, propre fils de Gervaise, à laquelle il est fait allusion. Enfin, Zola a constitué un dossier où il met tout ce qu'il prévoit pouvoir être utile pour son futur roman : un article de Louis Ratisbonne, un autre de Francisque Sarcey. *L'Assommoir* n'est donc pas, comme certains volumes de la série, une œuvre

1. *Un roman qui aura pour cadre le monde ouvrier et pour héros, Louis Duval, marié à Laure, fille de Bergasse. Peinture d'un ménage d'ouvriers à notre époque, drame intime et profond de la déchéance du travailleur parisien sous la déplorable influence du milieu des barrières et des cabarets. La sincérité seule pourra donner une grande allure à ce roman. On nous a montré jusqu'ici les ouvriers comme les soldats, sous un jour complètement faux. Ce serait faire preuve de courage que de dire la vérité et de réclamer, par l'exposition franche des faits, de l'air, de la lumière et de l'instruction pour les basses classes.* (Notes manuscrites conservées à la Bibl. nat. [Nouv. acq. fr. 10 303, feuillet 60].) Ces notes générales sur la marche et la nature de l'œuvre ont été publiées par H. Massis, *Comment Émile Zola composait ses romans* (Fasquelle, 1906), et par M. Le Blond, édition Bernouard; 2. Recueillis plus tard dans les *Nouveaux Contes à Ninon* et dans *Contes et Nouvelles* ; 3. D'après Maurice Dreyfous : *Ce qu'il me reste à dire* (1912); 4. Cf. les *Romanciers naturalistes* ; 5. Étienne Lantier, qui sera le héros de *Germinal*, et Claude, celui de l'*Œuvre*. Zola imaginera plus tard un troisième fils, Jacques, mécanicien, qui sera le principal personnage de *la Bête humaine*. Nana, fille de Gervaise et de Coupeau, sera l'héroïne du roman qui porte son nom. Cf. l'arbre généalogique des Rougon-Macquart annexé au *Docteur Pascal*.

improvisée à la hâte pour compléter le tableau de la société du second Empire : il est resté pendant des années dans la pensée du romancier et s'est nourri de toutes ses expériences d'homme et d'écrivain.

Émile Zola, en 1875, sent le moment venu d'écrire son roman ouvrier. Aucun de ses livres n'a encore remporté le succès désiré. Il a trente-cinq ans, il est temps de justifier la confiance qu'ont mise en lui ses amis, et particulièrement son éditeur, Charpentier, envers qui un contrat l'oblige à publier un roman par an, pour une mensualité de 500 francs. Il « tient » son sujet, et cela d'autant mieux qu'il vient de reprendre pour *le Messager de l'Europe* l'étude parue jadis dans *le Salut public* sur *Germinie Lacerteux*. C'est l'heure de faire un chef-d'œuvre, ou jamais.

Le moment historique était-il bien choisi ? En apparence, non. Sous la présidence de Mac-Mahon, on assiste au règne de l' « Ordre moral », et le 16-Mai n'est pas loin. Plusieurs ouvrages taxés d'immoralité viennent d'être condamnés[1]. N'était-il pas dangereux de braver la censure avec un livre qui, sur bien des points, était une insulte au public bien-pensant ?

En fait, certains signes indiquaient clairement l'intérêt croissant des esprits pour les œuvres directement inspirées de la réalité populaire. En peinture, les impressionnistes empruntent alors la plupart de leurs sujets à la vie de Paris et de ses faubourgs[2]. Les écrivains voient grandir le nombre de leurs lecteurs aux dépens d'Octave Feuillet. Un Barbey d'Aurevilly lui-même, dans ses *Diaboliques*, ne vient-il pas de « terroriser le vice en peignant des scènes vraies dans toute leur hideur » ? Enfin, d'une façon générale, le monde entier, et notamment l'Europe, est traversé par un puissant mouvement intellectuel et politique[2], qui attire l'attention sur les misères de la condition ouvrière et en cherche les remèdes — de Ruskin à Karl Marx, de la grève générale à l'Armée du salut. Choisir d'écrire *l'Assommoir* en 1875, ce n'était certes pas, en France, s'accorder exactement au parti du jour; mais c'était pressentir les victoires du lendemain, c'était dans une certaine mesure travailler pour ce lendemain, c'était accomplir un *acte* qui *engageait* son auteur. Si Zola risquait quelque chose en 1875, il se ménageait pour l'avenir la gloire d'avoir montré le peuple tel qu'il est, et par conséquent d'avoir œuvré pour lui[3].

L'ébauche du roman fut entreprise pendant l'été de 1875. On en suit le développement dans la *Correspondance*. Zola se trouvait

---

1. Les *Mémoires* de Casanova, les *Contes* de La Fontaine, *la Chanson des Gueux* de Jean Richepin...; **2.** Cf. notre Introduction : ce qui se passait en 1875-1877; **3.** Zola fut proposé pour la Légion d'honneur en 1879, la manqua à cause d'un article violent contre les romanciers idéalistes, la reçut finalement en 1888. Raymond Poincaré, alors ministre de l'Instruction publique, présida le banquet en l'honneur de l'achèvement des *Rougon-Macquart*. Toutefois, Zola, qui se présenta pendant douze ans à chaque élection, ne fut jamais de l'Académie française. En 1927, le cinquantenaire de *l'Assommoir* fut commémoré avec éclat à la Sorbonne, en présence de Raymond Poincaré, chef du gouvernement, par un éloquent discours de M. Édouard Herriot.

alors au bord de la mer, à Saint-Aubin. Le 14 août, il « échafaude » son « prochain roman, ce roman sur le peuple » qu'il « rêve extra-ordinaire ». Le 17 septembre, le roman « dort et dormira sans doute jusqu'à Paris ». « J'ai les grandes lignes, explique-t-il, j'ai besoin de Paris pour fouiller les détails. D'ailleurs, je suis décidé pour un tableau très large et très simple; je veux une banalité de faits extraordinaire, la vie au jour le jour; reste le style qui sera dur à trouver. » Le 29 septembre : « Je vais revenir avec le plan très complet de mon prochain roman. [...] Je suis enchanté de ce plan : il est très simple et très énergique. Je crois que la vie de la classe ouvrière n'aura jamais été abordée avec cette carrure. » Zola rentre à Paris le 4 octobre au soir. Dès le lendemain, il se met à la recherche des documents.

Ainsi, la « préparation » de *l'Assommoir* ne répond guère à la fameuse technique indiquée dans *le Roman expérimental*. Zola et, surtout, ses critiques et ses amis ont répandu l'illusion de la rigueur, pour ainsi dire scientifique, du roman naturaliste. Le romancier aurait commencé à travailler sans s'occuper de l'intrigue. L'étude des milieux l'aurait occupé tout d'abord. Ce n'est qu'après la consti-tution d'un dossier méthodique qu'il aurait conçu l'intrigue et les personnages, comme la conséquence « mathématique » des données sociales. M. Guy Robert a fait justice de cette croyance encore communément répandue, notamment dans son livre sur *la Terre*[1].

Quand on étudie cette sorte de long monologue que Zola rédige pour lui-même, la plume à la main, et qu'il appelle l'*ébauche*, on constate qu'il fixe d'abord l'idée générale de sa création. Mais aussitôt sa réflexion se porte sur « sa » Gervaise Macquart. Il a pensé à elle depuis six ans, il la connaît bien (sur plusieurs points, elle lui ressemble...), elle a visiblement toute sa sympathie. Le pre-mier titre du roman : *la Simple Vie de Gervaise Macquart*, indique clairement qu'elle en est le centre. Ainsi, tout l'univers s'organise autour d'elle, l'intrigue découle de son caractère et se développe en fonction de sa vie : son arrivée à Paris, l'abandon, le mariage, la prospérité, puis l'alcoolisme, la lente déchéance du ménage, et enfin, écrit le romancier, « je la tue dans un drame ». Ce parfait modèle de roman réaliste ne le satisfait pourtant qu'à demi. Il cherche quelque épisode un peu sensationnel, et il a confié à E. de Amicis[2] sa joie quand il a imaginé le retour de Lantier : « Le roman était fait. » Alors, il s'écarte de plus en plus de la simplicité voulue, il imagine des épisodes terribles, et rien n'est plus passionnant que de voir le créateur aux prises avec ses deux tendances contra-dictoires : tantôt il veut « une histoire d'une nudité magistrale, de

1. Les ouvrages de M. Guy Robert sont les plus sérieux et les plus neufs qui aient été consacrés à l'auteur des *Rougon-Macquart*. On se reportera à son *Émile Zola, principes et caractères généraux de son œuvre* et à son étude sur *la Terre* (Belles-Lettres 1952); 2. Edmondo De Amicis, *Souvenirs de Paris et de Rome* (1886).

la réalité au jour le jour, tout droit, pas de complications, très peu de scènes et des plus ordinaires, rien absolument de romanesque et d'apprêté »; — tantôt il cède à un certain penchant pour le dramatique et l'horrible : un suicide, « une jalousie brutale qui finit par jouer du couteau », un flagrant délit d'adultère, un attentat au vitriol, une colère rouge de Poisson, le sergent de ville, qui tue tout le monde, ou encore, un combat formidable entre Coupeau, Lantier et Goujet, etc. Finalement, l'auteur comprime, au prix d'un effort visible, son goût du romanesque : « Mais je veux rester dans la simplicité des faits, dans le courant vulgaire de la vie, tout en restant très dramatique et très touchant. » Le premier projet du chapitre XIII est abandonné, et Zola écrit en grosses lettres sur le manuscrit : « NON, PAS DE DRAME ». La discipline du roman naturaliste aidant, il avait enfin gagné contre lui-même.

Dans cette première phase, les personnages ont été définis parallèlement à l'intrigue. Zola rédige sur chacun d'eux des fiches qu'il complétera peu à peu au cours de la documentation. Mais l'essentiel est donné tout de suite et sort de l'imagination ou de l'expérience ancienne du romancier. Lantier, Lorilleux, Mme Lerat, Mme Poisson, Boche et sa femme ont pour modèle des gens qu'il a réellement connus et dont il donne les noms dans ses notes de travail. Mme Fauconnier semble venir d'Eugène Sue. Goujet et Bazouge sont des figures moitié réelles, moitié de fantaisie, qu'il a conçues dans sa jeunesse[1]. Poisson n'est guère que le symbole de l'autorité construit de toutes pièces. Bijard et la petite Lalie proviennent d'un article de Louis Ratisbonne, sur la mort d'une enfant martyre, paru dans *l'Evénement* vers 1868. Coupeau enfin est le type de l' « ouvrier parisien sceptique » tel que Francisque Sarcey l'avait défini dans son article *A Wolff et à Richard*[2] au cours d'une polémique sur le « peuple ». Il manquait encore à Zola quelques comparses, et surtout une toile de fond. On comprend sa hâte d'arriver à Paris et d'en saisir à neuf la couleur populaire. Dès son retour, il se jette dans les rues de Paris pour y faire sa moisson de « choses vues ». Il aura recours aussi à des ouvrages spéciaux.

La documentation fut assez rapide et même sommaire. Arrivé à Paris le 4 octobre, le 10 il commence à la fois la rédaction de son roman et une grande étude sur Flaubert. « J'avais, dit-il, une soif de travail extraordinaire. » Pendant ces six jours, il a cherché un cadre particulièrement adapté à l'action. Renonçant aux Batignolles, il situe son livre dans le quartier de la rue de la Goutte-d'Or. A-t-il été attiré par le symbole poétique de ce nom ? Il est probable aussi que Zola y voyait rassemblés tous les éléments dramatiques dont il avait besoin : la ville et le faubourg, un abattoir et un hôpital, des taudis et les nouveaux immeubles d'Haussmann, et ce magnifique champ ouvert à l'aventure qu'est le boulevard extérieur.

---

1. Cf. *le Forgeron* et *Mon ami Jacques* ; 2. *Le Gaulois* du 8 février 1870.

Zola griffonne des notes sur place; il excelle à caractériser la physionomie de chaque rue, de chaque maison, où il situe les épisodes prévus, où d'autres épisodes naissent de son imagination d'après le spectacle même des lieux : la grande maison de la rue de la Goutte-d'Or, le lavoir de la petite rue, les hôtels, marchands de vin, boutiques... Il observe la foule qui se promène sur le Boulevard, note des attitudes, prend des croquis. Tous ces détails passeront presque tels quels dans le roman. Il regarde aussi travailler une blanchisseuse, recopie soigneusement le tarif du repassage, le salaire des ouvrières. Il se renseigne de même sur les autres métiers dont il aura besoin : celui de couvreur, de boulonnier, de chaîniste, de fleuriste. Cette technique est devenue l'*a b c* du romancier moderne. En 1875, même après Balzac, Flaubert et Goncourt, une telle application à copier le réel est assez remarquable. Cet aspect « documentaire » ne doit pas, cependant, être surestimé.

Les sources livresques sont indiquées par les notes de travail. La maladie et la mort de Coupeau sont la « reproduction textuelle d'une observation faite à Sainte-Anne » et rapportée dans l'ouvrage du Dr V. Magnan sur l'alcoolisme. Dans le résumé qu'il en a fait, il consigne soigneusement les détails « à placer », comme il dit. Autrement, un seul ouvrage peut être considéré comme une « source » véritable, mais il a été utilisé jusqu'à la limite du plagiat : il s'agit du *Sublime*[1] de Denis Poulot (1870). Négligeant la seconde partie, qui traite des organisations et des revendications des travailleurs, Zola a littéralement pillé tout ce qui concerne leurs mœurs pendant le second Empire : une foule de traits, d'expressions, des situations, des « scènes à faire », les surnoms de ses personnages, et jusqu'au titre de son roman — Poulot ayant consacré tout un chapitre au débit d'alcool qui a réellement porté cette enseigne à Belleville, et qui avait donné son nom à d'autres débits de boisson. Enfin, *le Sublime* a suggéré à Zola le *ton* du livre, cette espèce de langage « enregistré » sur le vif, dont Poulot fournit de remarquables spécimens. Le romancier a parfaitement reconnu sa dette envers l'auteur du *Sublime* ; il a même regretté que la mode « n'ait pas encore été d'indiquer, à la fin des romans, les sources ». Pour lui, *le Sublime* était un *document* qu'il avait évidemment le droit d'utiliser. Néanmoins, ce « document » était récent et signé. On aimerait que Zola l'eût cité dans sa préface. Enfin, le dictionnaire d'argot d'Alfred Delvau[2], qu'il dépouille systématiquement, lui fournit près d'un millier de termes authentiquement populaires.

La confection du roman demanda environ un an. Après avoir réuni ses souvenirs, ses observations récentes et ses notes livresques, le romancier réfléchit à la construction de l'ensemble et des parties.

---

1. C'est-à-dire « le mauvais ouvrier », dans l'argot du peuple; **2.** Alfred Delvau, *Dictionnaire de la langue verte* (2e édition refondue et augmentée, 1866).

Il se fait architecte. C'est un métier que Zola connaît bien; il sait répartir les descriptions, les récits et les scènes de telle sorte que le lecteur se repose; les parties elles-mêmes sont divisées en paragraphes, et on passe de l'un à l'autre par des transitions. Zola est beaucoup plus « classique » dans ses constructions qu'on pourrait le supposer. Ces paragraphes suivent fidèlement le plan élaboré dans l'ébauche et sont remplis de documents animés par la chaleur du style. « C'est une méthode de travail presque administrative », écrit M. Pierre Martino[1]. Sans doute, peu d'écrivains furent plus « conscients ». Parfois, il se fait des recommandations : « Bien graduer la chute de Gervaise », ou : « Le style à toute volée », ou encore il s'encourage : « Un très grand succès, oui. » Mais Zola n'est quand même pas absolument lié par son plan initial. Comme l'écrit M. Guy Robert, « il réserve constamment le domaine de l'activité créatrice ».

Vingt et un chapitres avaient été prévus : Zola les condensa en treize. Puis commença la rédaction proprement dite. Le romancier travaille régulièrement, à raison de deux ou trois pages chaque matin. Ce rythme lui est d'ailleurs imposé par le feuilleton. Sans être un martyr de l'art, Zola apporte plus de soin à l' « écriture » qu'on ne l'a dit, et les manuscrits qu'on possède ne sont certainement pas de premier jet. Enfin, sur le texte même du feuilleton, Zola opère encore quelques corrections pour la publication en volume.

En résumé, toute cette genèse de *l'Assommoir* apparaît comme un compromis entre le goût du réel et l'imagination artistique, entre les rigueurs d'une méthode qui se voulait scientifique et un tempérament d'écrivain qui ne l'était pas.

« L'Assommoir », roman documentaire. — Théoricien du *Roman expérimental*, Zola a toujours affirmé son culte de la réalité objective. Bien avant l'Affaire Dreyfus, la *Vérité* — qu'il donnera pour titre à un des *Quatre Evangiles* — fait partie de son credo esthétique et philosophique. Aux détracteurs de *l'Assommoir*, Zola répondra : « Je dis ce que je vois, je verbalise simplement [...] Mon œuvre n'est pas une œuvre de parti ou de propagande; elle est une œuvre de vérité. » Et encore : « Voilà comment on vit et comment on meurt. Je ne suis qu'un greffier qui me défends de conclure. » Aux républicains idéalistes, il rétorque qu'il n'y a de position solide que fondée sur la science, que « sans la méthode, sans l'analyse, sans la vérité, il n'y a pas plus de politique que de littérature possible, aujourd'hui[2] ». Ses intentions ne faisant donc aucun doute, l'auteur a-t-il vraiment donné sur le monde ouvrier du second Empire ce témoignage objectif qu'il pensait ?

---

1. Dans son excellent petit ouvrage sur *le Naturalisme français* (1923);
2. Cf. ses lettres à Albert Millaud (9 septembre 1876) et au directeur du *Bien public* (13 janvier 1877).

Sa peinture du faubourg paraît authentique. Si on la compare aux nombreuses toiles que nous ont laissées les peintres impressionnistes, on est frappé par les ressemblances. Le *Tableau de Paris* de Jules Vallès confirme également la vision de Zola. Bien plus, quand on circule, aujourd'hui encore, dans le quartier Barbès-Rochechouart, on reconnaît les lieux mêmes, à peine transformés, qu'a décrits Zola   la rue de la Goutte-d'Or et ses immeubles à locataires multiples, — la rue Neuve-de-la-Goutte-d'Or (maintenant rue des Islettes), plus gaie avec ses maisons basses, et un lavoir identique à celui de Mme Fauconnier, — toutes les rues avoisinantes, dont les noms et la personnalité n'ont point changé, — le boulevard extérieur, les petits hôtels, l'hôpital Lariboisière où fut admis Coupeau. Le document paraît tout aussi actuel que celui qu'Eugène Dabit, par exemple, a donné plus récemment du canal Saint-Martin ou des faubourgs de Paris[1].

On peut faire confiance encore à Zola pour tous les détails, dont fourmille *l'Assommoir*, sur les métiers, les outils et les gestes professionnels, les salaires, le coût de la vie, etc. Et les mœurs mêmes qu'il nous rapporte sont attestées par trop d'autres témoignages pour qu'on les mette en doute, particulièrement par *le Sublime* de Denis Poulot, et par nombre de documents ignorés du romancier. Cela paraît être d'excellent reportage[2].

Or, les historiens font des réserves. Au terme d'une longue étude sociologique sur *la Condition ouvrière en France sous le second Empire*[3], M. Georges Duveau parle de l'excessive « monochromie » du livre de Zola, et il fait remarquer que, dans l'ouvrage de Poulot, « il y a plus de lumière et de gaîté ». Entre la vertu triste de Goujet et l'alcoolisme abêtissant de Coupeau et de ses comparses, il n'y a place pour aucune figure d'ouvrier « moyen », comme Poulot cependant en montrait plusieurs types. Ainsi Coupeau, conçu d'abord comme le Parisien « rigolo » de Sarcey, tourne très vite au noir. La plupart des personnages ont beau sortir de la réalité, ils ne représentent sans nul doute qu'une certaine face de cette réalité. On peut n'utiliser que des éléments authentiques et composer un tableau d'ensemble parfaitement inexact : tout dépend de la proportion et de la place de chaque élément. Les socialistes étaient sincères quand ils affirmaient ne pas reconnaître là le peuple de Paris. Ils l'idéalisaient sans doute; mais Zola en donne aussi, en sens contraire, une représentation sensiblement faussée.

Enfin, *l'Assommoir* ne fait aucune place aux tendances révolutionnaires de la classe ouvrière à cette époque, bien que *le Sublime* de Poulot l'y ait invité. Ces aspirations faisaient pourtant partie de la « réalité »; et peut-être étaient-elles capables de changer

---

1. Les photographies de *Paris au temps des fiacres* (préface de L.-P. Fargue) seraient une parfaite illustration pour *l'Assommoir* ; 2. Cf. Sydney Barlow Brown, *la Peinture des métiers et des mœurs professionnelles dans les romans de Zola* (1928); 3. Parue en 1946.

cette réalité : on l'avait bien vu en 1871. Pour n'avoir laissé aucune place à l'espoir, Zola a fait la condition ouvrière plus noire encore qu'elle ne l'était. A cet égard, *Germinal* offre une autre face de la vérité. Mais c'est de propos délibéré que l'aspect social et politique a été réservé pour « le second roman sur le peuple ». *Germinal* ne doit donc pas être opposé à *l'Assommoir*. Ce sont les deux volets d'un dyptique ; leur témoignage se complète ; et il faut les regarder simultanément pour avoir un tableau authentique et complet du monde ouvrier sous le second Empire.

L'univers d'Émile Zola. — Comme tout artiste, Zola croyait sincèrement peindre le monde tel qu'il est. Mais chacun d'entre nous le déforme selon les modes particuliers de sa perception. Le romancier naturaliste n'y échappe pas . avec son lorgnon cerclé de fer, son « nez de chien de chasse » en avant, il appréhende les choses d'une manière qui lui est imposée par un certain tempérament, par toute son expérience intérieure. Ainsi, l'*espace* lui apparaît comme un milieu complexe, doué de qualités déterminées. Les lieux de *l'Assommoir* ont beau être empruntés au réel, il existe une *géographie* spéciale du roman. Dès les premières pages, on en voit transparaître les intentions : à droite, les abattoirs, où des bouchers stationnent en tabliers sanglants, d'où arrive par moments « une odeur fauve de bêtes massacrées » ; à gauche, l'hôpital blafard, « montrant par les trous encore béants de ses rangées de fenêtres, des salles nues où la mort devait faucher » ; derrière, le faubourg, espèce d'entité énorme, réservoir inépuisable de travail, de passions, de misère, de pitié ; et devant le mur d'octroi, véritable barrière magique d'où parviennent, la nuit, des cris d'assassinés, « une grande lueur, une poussière grondante de soleil », Paris, où Gervaise ne pénètre que le jour de ses noces et pour aller voir mourir son mari à Sainte-Anne ; le boulevard extérieur est le champ mystérieux du destin ; et très loin, là-bas, derrière le pont du chemin de fer où crient les trains, « la campagne, le ciel libre, au fond d'une trouée, où il aurait fait si bon partir, n'importe où hors du monde ». Ainsi l'imagination de Zola voit partout des *symboles* et crée des *mythes*.

Dans les détails mêmes, Zola nous montre surtout le côté *fantastique* des choses. Autant que de Balzac et de Flaubert, qu'il se voulait pour maîtres, il descend de Victor Hugo. La vision qu'a Gervaise de la grande maison de la rue de la Goutte-d'Or paraît étrangement déformée : « Carrée, pareille à un bloc de mortier gâché grossièrement, se pourrissant et s'émiettant sous la pluie, elle profilait sur le ciel clair, au-dessus des toits voisins, son énorme cube brut, ses flancs non crépis, couverts de boue, d'une nudité interminable de murs de prison, où des pierres d'attente semblaient des mâchoires caduques, bâillant dans le vide. » Mais cette maison *vit ;* elle est une personne, comme vivent fantastiquement tous les monstres des *Rougon-Macquart*. Zola excelle à donner ainsi aux choses, particulièrement aux productions humaines, une espèce d'existence obscure. L'alambic du père Colombe reste sa création la plus remarquable. On en suit le développement d'un bout à l'autre du roman, jusqu'à ce que Gervaise soit prise contre lui d'une colère sombre, d'une envie de lui sauter dessus comme sur une bête, « pour le taper à coups de talons et lui crever le ventre ». Cette amplification démesurée donne souvent la sensation de l'*épique* : l'alambic « laissait couler sa sueur d'alcool, pareil à une source lente et entêtée, qui à la longue devait envahir la salle, se répandre sur les boulevards extérieurs, inonder le trou immense de Paris ». L'auteur paraît brusquement saisi d'une hallucination et s'abandonne à l'image qui le hante avec la frénésie d'un primitif. Il y a quelque chose de « surréaliste », aussi, chez cet écrivain beaucoup plus complexe que sa légende ne l'a représenté.

Il y aurait lieu d'étudier les principaux thèmes de l'*Assommoir*, — les couleurs, et particulièrement le thème du noir et de la nuit, — les odeurs, que Zola analyse en artiste raffiné, — les sensations d'étouffement, d'enfoncement et d'écrasement, — les inquiétudes, les superstitions, les peurs, — l'importance des fonctions digestives et sexuelles, — un certain goût pour le morbide et pour le sordide, — sa perception propre du *temps*, surtout, très différente de celle des romanciers impressionnistes comme les Goncourt, Zola cherchant, jusque dans son style, à transcender l'instant pour atteindre la *durée*. Bref, c'est tout un système du monde qu'on pourrait reconnaître dans l'*Assommoir*, et un tel roman, à cet égard, est moins la photographie du réel qu'une œuvre de poète, une création véritable.

Les caractères. — On reconnaît d'ordinaire du talent à Émile Zola pour la peinture des foules. Le premier et l'avant-dernier chapitres du roman, qui montrent le grouillement des ouvriers se rendant au travail par le faubourg Poissonnière, ou l'animation nocturne du boulevard extérieur annoncent les meilleures pages des écrivains *unanimistes*[1]. Nul romancier n'a mieux réussi à montrer la conscience collective d'un groupe, que ce soit dans l'odyssée de la noce à travers Paris, visitant le Louvre, montant à la colonne Vendôme, se propulsant sous la pluie, ou dans la scène du banquet en l'honneur de la fête de Gervaise. En revanche, on refuse à Zola toute profondeur et toute finesse dans l'analyse des consciences individuelles. On exécute aisément ses « bonshommes » : ce sont des brutes, des naïfs ou des fous, ils ne vivent pas, ils n'existent pas.

Zola ne croyait pas à la « psychologie ». Selon lui, l'âge du « pantin métaphysique » est révolu. Les êtres se réduisent : 1° à un élément

---

1. Jules Romains a reconnu sa dette envers l'auteur des *Rougon-Macquart* dans *Zola et son exemple* (1935) et, en 1952, lors de la célébration du cinquantenaire de sa mort.

physiologique (particulièrement l'hérédité); 2º à un élément social, ce qu'il appelle « l'action sociale et physique des milieux ». On retrouve ici l'influence de Taine et de l'idéologie de cette époque. Tel est le *matérialisme* de Zola[1].

Les personnages secondaires répondent parfaitement à cette définition. Le caractère des Lorilleux, « les esclaves et les victimes de la petite fabrication en chambre », s'explique entièrement par leur condition. De même, Poisson est le type du sergent de ville, le père Bru, celui du vieil ouvrier sans pension, Mme Lerat, de la fleuriste, Mme Fauconnier, de la blanchisseuse, comme Boche est le concierge type, M. Marescot, le propriétaire type, Colombe, le mastroquet type, et Bibi-la-Grillade, Mes-Bottes ou Bec-Salé les différents types de « sublimes » que Zola a pris dans Poulot. Ils sont donnés comme le produit nécessaire de leur milieu, essentiellement de leur métier. Leur âme n'a guère de réalité singulière : ils pensent, ils souffrent, ils s'aiment ou se haïssent en chaîniste, en forgeron.

Ces êtres-là sont simples; du moins ne sont-ils pas faux. Mais Bazouge, la petite Lalie et Goujet, qui pourtant sortent tous trois de la réalité, sont beaucoup moins convaincants. Bazouge : « une figure de fantaisie sombre », disent les notes de travail. Ce n'est guère que le symbole, que la « présence » de la mort dans le roman, comme Lalie incarne un peu abstraitement l'enfance martyre, et Goujet la vertu. Zola avait d'ailleurs conscience d'avoir « un peu menti avec Goujet », de lui avoir prêté « des sentiments qui ne sont pas de son milieu ». Mais il a passé outre à ces scrupules, des raisons esthétiques et morales l'emportant ici sur les principes du naturalisme.

Avec Lantier, Zola a voulu faire, écrit-il, « une étude de Provençal tel que je les connais ». Son physique reproduit celui d'un certain Coupin, mais tous les détails de son caractère ont été empruntés à Poulot. Au total, le personnage reste superficiel et froid : sa gourmandise et sa lubricité n'expliquent pas tout, on ne distingue pas les ressorts profonds qui le font agir. On peut en dire autant de Coupeau, « gouailleur, noceur, d'un toupet infernal, pas méchant diable, chantant, gai, rigolo », tel que Francisque Sarcey avait dépeint, « de chic », l'ouvrier parisien. Mais la progression de son caractère nous semble remarquable, notamment quand les monstres latents s'éveillent peu à peu en lui, après son accident, par suite de l'inaction, puis de l'ennui, puis de la paresse; comment il est tenté par les « paradis artificiels » qui sont à sa portée, le vin et l'alcool, le recours systématique à l'ivresse pour changer le monde, qui l'amène au *delirium tremens*, dont Zola nous donne une analyse d'un intérêt non seulement médical, mais humain. Il y a là un vrai chef-d'œuvre de psychologie pathologique.

---

1. Cf. l'article sur Stendhal dans *les Romanciers naturalistes* et le roman autobiographique *l'Œuvre*.

Tous ces êtres existent peu auprès de Gervaise. Comme l'indique le premier titre du roman, il est clair que non seulement l'intrigue, mais les autres êtres et les choses elles-mêmes sont vus par ses propres yeux et organisés en fonction de son destin. Elle a la sympathie du romancier, qui lui a souvent prêté sa sensibilité, ses peurs, ses espoirs, sa conception générale de la vie.

Nous connaissons son hérédité et les affreuses expériences de sa jeunesse. Pourtant, elle n'apparaît pas « déterminée » comme ses comparses. « Un être lancé au hasard et qui tombera pile ou face », lit-on sur le premier brouillon. Après mûre réflexion, le romancier l'a faite *jolie ;* sa personne respire au début la fraîcheur et la santé, avec « ses beaux bras de blonde, jeunes encore, à peine rosés au coude », les petites mèches de ses cheveux ébouriffés, les coins un peu mouillés de sa bouche. C'est une *bonne nature*, comme on dit, propre, active, courageuse, affectueuse, bonne mère et bonne épouse, toujours prête à faire plaisir. On ne lui connaît que deux défauts : sa *faiblesse*, qui la rend trop indulgente envers autrui ; et puis elle est un peu gourmande, mais « ce n'était pas un vilain défaut, au contraire ». (Zola lui-même, paraît-il, était gourmand.) Bref, une si brave fille qu'une caricature l'a représentée alors sur un piédestal avec cette inscription : Sainte-Gervaise. En tout cas, elle est autre chose qu'un type social ; elle a une *âme*, c'est-à-dire le sentiment de sa *liberté* et la volonté d'en bien user. Son *idéal* n'est pas sans valeur : travailler tranquille, manger toujours du pain, avoir « un trou bien propre » pour dormir, élever ses enfants, en faire de bons sujets, mourir dans son lit. C'est l'idéal même, au fond, d'un Montaigne, ou du Candide de Voltaire. Seulement, la volonté n'est pas assez forte : elle est remplacée par le *rêve*, et le rêve ne peut rien contre les puissances du mal, dont Gervaise sent passer par moments le souffle glacé. Alors apparaît la *peur*, la peur de la mort, qui revient comme un leitmotiv dans le roman, associée à l'apparition de Bazouge ; et cette peur se change finalement en une grande envie de dormir, en *désir du néant*... Psychologie exceptionnelle, dira-t-on... Mais de tels êtres existent, et pas seulement chez Zola, Maupassant ou Huysmans, ou à travers l'œuvre de Baudelaire. Les romans et les films contemporains abondent encore en caractères de cette espèce. On en trouve — à quelques nuances près — dans toutes les classes de la société, de ces hommes et de ces femmes qui s'abandonnent, qui renoncent, et qui tombent peu à peu, par faiblesse, par fatigue.

La morale de « l'Assommoir ». — Dès qu'il parut, *l'Assommoir* fit scandale. Zola en a gardé, auprès d'une grande partie de l'opinion, la réputation d'un écrivain « immoral ». Anatole France se fera l'écho de ces critiques, quand il écrira, à propos de *la Terre*, que son œuvre est « mauvaise », qu'il est « un de ces malheureux dont on peut dire qu'il vaudrait mieux qu'ils ne fussent pas nés[1] ».

Il faut admettre que l'auteur de *l'Assommoir* eût pu nous faire grâce de quelques détails sans que la vérité de son livre en fût gravement altérée. On y sent une facile complaisance pour le scatologique, tout autant qu'une bravade contre les écrivains officiels et le souci naturaliste de « tout dire » pour « faire vrai ». Nous ne voyons pas, d'ailleurs, ce que ces nudités anatomiques, ces allusions aux fonctions les plus basses, contiennent par elles-mêmes, chez Zola comme chez Rabelais, d' « immoral ». Il y a certainement plus à redire contre Octave Feuillet ou Dumas fils, qui dissimulent le vice sous le fard et sous les roses.

Plusieurs critiques ont affirmé l'indifférence morale de cette œuvre[2]. *L'Assommoir* serait neutre comme la réalité. Mais Zola a protesté assez souvent de ses intentions moralisatrices pour qu'on y cherche une morale. La thèse en paraît simple : quand on fit le bilan du cinquantenaire, en 1927, lors d'une cérémonie en Sorbonne, on réduisit presque le roman de Zola à un pamphlet anti-alcoolique, dont les tableaux terribles devaient donner à réfléchir aux ouvriers intempérants. L'auteur n'aurait d'ailleurs pas désavoué, semble-t-il, l'utilisation sociale qu'en ont faite les Anglais, par exemple, dans une médiocre traduction, ou le metteur en scène d'un mauvais film destiné, croirait-on, aux ivrognes des quartiers populaires. N'avait-il pas annoncé à Lacroix qu'il allait « réclamer, par l'exposition franche des faits, de l'air, de la lumière et de l'instruction pour les basses classes » ?

Il faut aller plus loin. L'alcoolisme n'est qu'un effet du mal : ses causes sont plus profondes, et il est certain que *l'Assommoir* contient la condamnation implicite de la société dont il est le produit. Barbusse reprochera à Zola de n'en avoir pas tiré toutes les conclusions[3]; mais à quoi bon les exprimer ? Certains épisodes parlent d'eux-mêmes : la vieillesse affreuse du père Bru, la tolérance officielle en faveur des débits d'alcool, l'absence de toute assurance en cas d'accident, les exigences du propriétaire contre le pauvre monde, etc. Il ne s'agit pas seulement de l'alcoolisme, mais bien de tout le système social qui le favorise.

Mais le mal n'est pas seulement — et peut-être pas surtout — *social*. Car le même milieu qui a produit Bec-Salé et Nana a produit aussi la petite Lalie — une sainte — et Goujet — un honnête garçon. Le mal vient des racines mêmes de l'homme, nous apprend *l'Assommoir ;* il vient de l'*ennui*. Remarquons que toute l'intrigue tourne autour de l'accident de Coupeau. « La seule pratique leçon à en tirer, écrivait Lepelletier, c'est que l'ouvrier doit éviter de dégringoler d'un échafaudage. » Cette boutade cache une grande

1. Anatole France — qui d'ailleurs avait apprécié *l'Assommoir* (cf. les Jugements à la fin de ce volume) — renoncera très vite à ce genre de proclamations vertueuses. On sait le bel hommage qu'il rend à Zola lors de la mort de celui-ci; 2. Edmond Lepelletier, Édouard Rod...; 3. Dans son *Zola* (1931).

vérité ; car toute vie humaine a son équilibre — un équilibre fragile — qu'un accident suffit à dérégler par l'inaction qu'il impose, laquelle rompt les habitudes du métier, engendre la paresse, qui engendre l'ennui, dont le remède est le vin, la débauche ou la mort. Voilà reconstitué presque tout le cycle des *Fleurs du mal*. A ces « paradis artificiels » que Baudelaire propose — à cette religion chrétienne vers laquelle Pascal voulait diriger le libertin adonné au « divertissement » —, Zola oppose tout simplement le *travail*. C'est le travail seul qui fait que l'homme se tient droit ; il met en fuite « les désirs errants et perdus » ; il apporte la paix de l'âme, en même temps qu'il sert la société. Toute la santé morale de Goujet vient de ce qu'il est un bon travailleur ; ses coups de marteau « classiques », réguliers, rythment son honnêteté, sa chasteté, sa fidélité, sa bonté, comme ils produisent son idéal patriotique et républicain, — comme dans la scène de la forge, par contagion, ils fortifient Gervaise. En face de Goujet, Lantier incarne l'oisiveté, le mal. Tout le drame de *l'Assommoir*, c'est que la destruction des qualités professionnelles entraîne fatalement celle des qualités morales. On peut discerner là un accent de reconnaissance personnelle : Zola semble avoir éprouvé lui-même toutes les tentations du romantisme décadent ; c'est la discipline naturaliste, le travail méthodique qu'elle impose, qui l'a sans doute arraché aux monstres de sa jeunesse et lui a permis de vivre, sinon heureux, du moins apaisé par la construction de son œuvre positive.

Le style de « l'Assommoir ». — Zola ne fut pas tourmenté par le « démon du style » au même degré que Flaubert, ni même que les Goncourt. Cependant, *l'Assommoir* manifeste des recherches d'ordre formel très personnelles ; le romancier y utilise en artiste conscient les procédés chers aux autres romanciers réalistes de l'époque. Ainsi, l'on retrouve les phrases suspendues, chargées d'appositions qui se reprennent et se précipitent mutuellement : « Et le vent frais apportait une puanteur par moments, une odeur fauve de bêtes massacrées. » Les tournures participiales et adjectives sont répandues à satiété : « Mais c'était toujours à la barrière Poissonnière qu'elle revenait, le cou tendu, s'étourdissant à voir couler... » D'une manière générale, l'accent est mis sur le substantif aux dépens du verbe, et ce substantif est souvent lourd, exprimant la réalité pesante de la chose : « Il y avait là un piétinement de troupeau », « cette foule gardait un effacement plâtreux ». Il est clair que ces formes de style ont pour but d'atteindre l'essence même des choses, tout comme l'imparfait, dont l'emploi est constant, veut exprimer la durée. Le style de Zola est en correspondance avec sa vision propre de l'univers.

S'il laisse « en paix » la syntaxe, Zola manifeste dans son vocabulaire une hardiesse étonnante pour l'époque. Faire parler les personnages comme ils parlent dans la vie n'avait plus rien d'extra-

ordinaire depuis Balzac. Notons seulement qu'il adapte remar-
quablement toutes les nuances du parler populaire au caractère de
chacun : Goujet ne parle pas comme Bec-Salé, ni comme Coupeau.
Gervaise, au début du roman, soigne plus son langage que les
commères du quartier; mais peu à peu ce langage se détériore, et
on y voit le signe d'une déchéance plus profonde. Ce qui est nouveau, et que retinrent surtout les contemporains, c'est que les récits
eux-mêmes sont écrits dans le langage de ceux qui en sont les
héros. L'unité du ton est assurée par des passages très habiles du
style direct à toutes les variétés possibles de style indirect. L'atmosphère du faubourg est ainsi imposée avec une puissance extraordinaire de conviction.

Zola acquit sa science de l'argot ouvrier dans *le Sublime* et surtout
dans le dictionnaire de Delvau. En quelques cas, il s'écarte des
définitions que donnent ces ouvrages et l'on peut penser que son
expérience ancienne des milieux populaires lui a servi. Cet argot
a d'ailleurs beaucoup vieilli. Mais qu'on ne s'y trompe pas : la
langue de *l'Assommoir* était déjà très artificielle et Mallarmé, grand
admirateur du roman, en appréciait surtout son caractère de création philologique. Flaubert, auquel Zola avait dédié son roman
« En haine du goût », grogna que son jeune ami devenait « une
précieuse à l'inverse » et que lui-même aurait l'air maintenant
d'écrire « pour les pensionnats de jeunes filles ». Mais par la suite
l'estime l'emporta. Et son jugement mesuré sera partagé, sans
doute, par ceux qui, pour d'autres raisons, n'apprécieraient guère ce
roman : « Il y a dans ces longues pages malpropres une puissance
réelle et un tempérament incontestable[1]. »

---

1. Dans nos notes, pour expliquer les termes d'argot, nous avons généralement recopié les définitions de Delvau. Zola nous y invitait puisque ses notes
de travail contiennent la liste alphabétique des mots qu'il a empruntés à cet
ouvrage. L'argot évoluant très vite, ce procédé nous a paru une garantie
d'exactitude. Dans quelques cas, toutefois, le romancier s'écarte visiblement
du sens donné par le dictionnaire. Nous l'avons signalé.

Les chiffres en gras, entre parenthèses, renvoient aux Questions placées à la
fin du volume.

BIBLIOGRAPHIE SOMMAIRE

ÉDITIONS

Édition originale

L'Assommoir (Paris, Bibliothèque Charpentier, 1877).

Éditions commentées

L'Assommoir : notes et commentaires de Maurice Le Blond, dans l'édition des *Œuvres complètes d'E. Zola* (Paris, Bernouard, 1928).

Les Rougon-Macquart : préface d'Armand Lanoux ; études, notes, variantes et index par Henri Mitterand (Paris, Gallimard, Bibliothèque de la Pléiade, tome II, 1960, contenant *Son Excellence Eugène Rougon, L'Assommoir, Une page d'amour, Nana*).

Œuvres complètes : sous la direction d'Henri Mitterand ; préface, notice, notes, documents, illustrations (Paris, Cercle du Livre précieux, tome III, 1967).

OUVRAGES GÉNÉRAUX SUR ÉMILE ZOLA :

Denise Le Blond-Zola	*Emile Zola raconté par sa fille* (Paris, Fasquelle, 1931).
Guy Robert	*Emile Zola. Principes et caractères d'une œuvre* (Paris, les Belles-Lettres, 1953).
René Ternois	*Zola et son temps* (Paris, les Belles-Lettres, 1961).
Armand Lanoux	*Bonjour, Monsieur Zola* (réédition, Paris, Hachette, 1962).
Henri Mitterand	*Zola journaliste* (Paris, A. Colin. coll. Kiosque, 1962).
Henri Guillemin	*Présentation des Rougon-Macquart* (Paris, Gallimard, 1964).

Les Cahiers naturalistes, revue semestrielle de la Société littéraire des amis d'Emile Zola (Paris, Fasquelle, depuis 1955).

SUR L'ASSOMMOIR :

J. Chambon	*Réalisme et épopée, de l'Assommoir à Germinal* (Paris, La Pensée, 1952).
Maxime Leroy	*Le Prolétariat vu par Zola dans l'Assommoir* (Paris, Preuves, 1952).

L'ASSOMMOIR

PRÉFACE

Les *Rougon-Macquart* doivent se composer d'une vingtaine de romans. Depuis 1869, le plan général est arrêté, et je le suis avec une rigueur extrême[1]. *L'Assommoir* est venu à son heure, je l'ai écrit, comme j'écrirai les autres, sans me déranger une seconde de ma ligne droite. C'est ce qui fait ma force. J'ai un but auquel je vais.

Lorsque *l'Assommoir* a paru dans un journal[2], il a été attaqué avec une brutalité sans exemple, dénoncé, chargé de tous les crimes[3]. Est-il bien nécessaire d'expliquer ici, en quelques lignes, mes intentions d'écrivain? J'ai voulu peindre la déchéance fatale d'une famille ouvrière, dans le milieu empesté de nos faubourgs. Au bout de l'ivrognerie et de la fainéantise, il y a le relâchement des liens de la famille, les ordures de la promiscuité, l'oubli progressif des sentiments honnêtes, puis comme dénoûment, la honte et la mort. C'est de la morale en action, simplement.

L'Assommoir est à coup sûr le plus chaste de mes livres. Souvent j'ai dû toucher à des plaies autrement épouvantables. La forme seule a effaré. On s'est fâché contre les mots. Mon crime est d'avoir eu la curiosité littéraire de ramasser et de couler dans un moule très travaillé la langue du peuple. Ah! la forme, là est le grand crime! Des dictionnaires de cette langue existent pourtant[4], des lettrés l'étudient et jouissent de sa verdeur, de l'imprévu et de la force de ses images. Elle est un régal pour les grammairiens fureteurs. N'importe, personne n'a entrevu que ma volonté était de

---

1. On a conservé le premier plan des *Rougon-Macquart* remis à l'éditeur Lacroix (publié pour la première fois par H. Massis, *Comment Émile Zola composait ses romans* [1906]). Le cycle ne devait comprendre que dix romans. Dès 1871, vingt volumes étaient prévus, mais Zola modifia en quelques cas ses projets primitifs; **2.** Dans *le Bien public* (13 avril-7 juin 1876), puis dans *la République des lettres* (9 juillet 1876-7 janvier 1877). Cf. la notice; **3.** Parmi une foule d'articles hostiles, signalons ceux de Dancourt dans *la Gazette de France* (20 avril 1876) et d'Albert Millaud dans *le Figaro* (1er septembre 1876); **4.** Ceux de Lorédan Larchey, *Dictionnaire historique d'argot* (6e éd., 1872), et d'Alfred Delvau, *Dictionnaire de la langue verte* (2e éd., 1866), étaient les plus répandus. Zola emprunta à ce dernier près de mille mots, dont la liste se trouve dans ses notes de travail.

faire un travail purement philologique, que je crois d'un vif intérêt historique et social[1].

Je ne me défends pas, d'ailleurs. Mon œuvre me défendra. C'est une œuvre de vérité, le premier roman sur le peuple, qui ne mente pas et qui ait l'odeur du peuple[2]. Et il ne faut point conclure que le peuple tout entier est mauvais, car mes personnages ne sont pas mauvais, ils ne sont qu'ignorants et gâtés par le milieu de rude besogne et de misère où ils vivent. Seulement, il faudrait lire mes romans, les comprendre, voir nettement leur ensemble, avant de porter les jugements tout faits, grotesques et odieux, qui circulent sur ma personne et sur mes œuvres. Ah! si l'on savait combien mes amis s'égayent de la légende stupéfiante dont on amuse la foule! Si l'on savait combien le buveur de sang, le romancier féroce, est un digne bourgeois, un homme d'étude et d'art, vivant sagement dans son coin, et dont l'unique ambition est de laisser une œuvre aussi large et aussi vivante qu'il pourra! Je ne démens aucun conte, je travaille, je m'en remets au temps et à la bonne foi publique pour me découvrir enfin sous l'amas des sottises entassées[3]*(1).

Émile ZOLA.

Paris, le 1ᵉʳ janvier 1877.

1. Mallarmé l'en a félicité dans une lettre (cf. les Jugements à la fin du volume); **2.** Zola écrivait pour lui-même dans ses notes de travail : « *Le roman doit être ceci : Montrer le milieu peuple et expliquer par ce milieu les mœurs peuple ; comme quoi, à Paris, la soûlerie, la débandade de la famille, les coups, l'acceptation de toutes les hontes et de toutes les misères viennent des conditions mêmes de l'existence ouvrière, des travaux durs, des promiscuités ; des laisser-aller, etc. En un mot, un tableau très exact de la vie du peuple avec ses ordures, sa vie lâchée, son langage grossier, et ce tableau ayant comme dessous — sans thèse cependant — le sol particulier dans lequel poussent ces choses. Ne pas flatter l'ouvrier et ne pas le noircir. Une réalité absolument exacte. Au bout, la morale se dégageant elle-même. Un bon ouvrier fera l'opposition ; ou plutôt non, ne pas tomber dans le Manuel. Un effroyable tableau qui portera sa morale en soi* »; **3.** Outre cette préface, Zola répondit à la critique d'opposition par deux lettres à Albert Millaud (3 *et* 9 septembre 1876), dont la première seule fut rendue publique par *le Figaro*, et par une lettre au directeur du *Télégraphe* pour réfuter l'accusation d'avoir plagié *le Sublime* (18 mars 1877). Le 13 février, il avait écrit au directeur du *Bien public* une réponse destinée aux « républicains idéalistes ».

I

[Paris, boulevard de la Chapelle, au début de 1851. Gervaise Macquart, âgée de vingt-deux ans, fille du contrebandier Macquart et d'une marchande à la Halle, a quitté Plassans, la petite ville de Provence où elle est née, pour suivre à Paris un ouvrier tanneur, Auguste Lantier, dont elle a eu déjà deux enfants. Elle a attendu en vain Lantier toute la nuit. Au petit jour, le père de ses enfants n'est pas encore rentré. Accoudée à la fenêtre d'une chambre d'hôtel, la malheureuse fouille des yeux la foule des ouvriers qui se rendent au travail. — C'est une jolie blonde, grande, mince, boitant légèrement, les traits déjà tirés par les rudesses de la vie.]

L'hôtel se trouvait sur le boulevard de la Chapelle[1], à gauche de la barrière Poissonnière[2]. C'était une masure de deux étages, peinte en rouge lie de vin jusqu'au second, avec des persiennes pourries par la pluie. Au-dessus d'une lanterne aux vitres étoilées, on parvenait à lire entre les deux fenêtres : *Hôtel Boncœur, tenu par Marsoullier*, en grandes lettres jaunes, dont la moisissure du plâtre avait emporté des morceaux. Gervaise, que la lanterne gênait, se haussait, son mouchoir sur les lèvres. Elle regardait à droite, du côté du boulevard de Rochechouart, où des groupes de bouchers, devant les abattoirs, stationnaient en tabliers sanglants ; et le vent frais apportait une puanteur par moments, une odeur fauve de bêtes massacrées. Elle regardait à gauche, enfilant un long ruban d'avenue, s'arrêtant presque en face d'elle, à la masse blanche de l'hôpital de Lariboisière, alors en construction. Lentement, d'un bout à l'autre de l'horizon, elle suivait le mur de l'octroi, derrière lequel, la nuit, elle entendait parfois des cris d'assassinés ; et elle fouillait les angles écartés, les coins sombres, noirs d'humidité et d'ordure, avec la peur d'y découvrir le corps de Lantier, le

---

1. C'est l'actuel *boulevard de la Chapelle*, à Paris. A cette époque, il se confondait encore avec un des « boulevards extérieurs » qui longeaient le mur d'octroi, ou enceinte dite « des fermiers généraux » (1784-1791). Une loi de 1859 réunit à la capitale le territoire compris entre ce mur et l'enceinte bastionnée de 1840, qui est la limite d'aujourd'hui. Zola décrit cet agrandissement de Paris à la page 106 ; 2. *La barrière Poissonnière :* un des points de passage dans le mur de l'octroi, en direction de La Chapelle et de Clignancourt — se trouvait à l'extrémité de la rue du Faubourg-Poissonnière, à l'emplacement de l'actuel carrefour Barbès-Rochechouart.

ventre troué de coups de couteau. Quand elle levait les yeux, au-delà de cette muraille grise et interminable qui entourait la ville d'une bande de désert, elle apercevait une grande lueur, une poussière de soleil, pleine déjà du grondement matinal de Paris. Mais c'était toujours à la barrière Poissonnière qu'elle revenait, le cou tendu, s'étourdissant à voir couler, entre les deux pavillons trapus de l'octroi, le flot ininterrompu d'hommes, de bêtes, de charrettes, qui descendait des hauteurs de Montmartre et de la Chapelle. Il y avait là un piétinement[1] de troupeau, une foule que de brusques arrêts étalaient en mares sur la chaussée, un défilé sans fin d'ouvriers allant au travail, leurs outils sur le dos, leur pain sous le bras; et la cohue s'engouffrait dans Paris où elle se noyait, continuellement. Lorsque Gervaise, parmi tout ce monde, croyait reconnaître Lantier, elle se penchait davantage, au risque de tomber; puis, elle appuyait plus fortement son mouchoir sur la bouche, comme pour renfoncer sa douleur. [...]

A la barrière, le piétinement de troupeau continuait, dans le froid du matin. On reconnaissait les serruriers à leurs bourgerons[2] bleus, les maçons à leurs cottes[3] blanches, les peintres à leurs paletots sous lesquels de longues blouses passaient. Cette foule, de loin, gardait un effacement plâtreux[4], un ton neutre, où dominaient le bleu déteint et le gris sale. Par moments, un ouvrier s'arrêtait, rallumait sa pipe, tandis qu'autour de lui les autres marchaient toujours, sans un rire, sans une parole dite à un camarade, les joues terreuses, la face tendue vers Paris, qui, un à un, les dévorait, par la rue béante du Faubourg-Poissonnière. Cependant, aux deux coins de la rue des Poissonniers, à la porte des deux marchands de vin qui enlevaient leurs volets, des hommes ralentissaient le pas; et, avant d'entrer, ils restaient au bord du trottoir, avec des regards obliques sur Paris, les bras mous, déjà gagnés à une journée de flâne. Devant les comptoirs, des groupes s'offraient des tournées, s'oubliaient là, debout, emplissant les salles, crachant, toussant, s'éclaircissant la gorge à coups de petits verres. [...]

Gervaise s'entêta encore à la fenêtre pendant deux mor-

---

1. Remarquer la prédilection de Zola pour les phrases de ce type, qui expriment un fait considéré dans sa durée; **2.** *Bourgeron :* blouse de toile s'arrêtant à mi-corps; **3.** La *cotte* est ici un pantalon de toile; **4.** *Effacement plâtreux :* allusion à la couleur terne et à la consistance presque impalpable du plâtre (plus loin, cf. *terreux*).

telles heures, jusqu'à huit heures. Les boutiques s'étaient ouvertes. Le flot de blouses descendant des hauteurs avait cessé; et seuls quelques retardataires franchissaient la barrière à grandes enjambées. Chez les marchands de vin, les mêmes hommes, debout, continuaient à boire, à tousser et à cracher. Aux ouvriers avaient succédé les ouvrières, les brunisseuses[1], les modistes, les fleuristes, se serrant dans leurs minces vêtements, trottant le long des boulevards extérieurs; elles allaient par bandes de trois ou quatre, causaient vivement, avec de légers rires et des regards luisants jetés autour d'elles; de loin en loin, une, toute seule, maigre, l'air pâle et sérieux, suivait le mur de l'octroi, en évitant les coulées d'ordures. Puis, les employés étaient passés, soufflant dans leurs doigts, mangeant leur pain d'un sou en marchant; des jeunes gens efflanqués, aux habits trop courts, aux yeux battus, tout brouillés de sommeil; de petits vieux qui roulaient sur leurs pieds, la face blême, usée par les longues heures du bureau, regardant leur montre pour régler leur marche à quelques secondes près. Et les boulevards avaient pris leur paix du matin; les rentiers du voisinage se promenaient au soleil; les mères, en cheveux, en jupes sales, berçaient dans leurs bras des enfants au maillot, qu'elles changeaient sur les bancs; toute une marmaille mal mouchée, débraillée, se bousculait, se traînait par terre, au milieu des piaulements[2], de rires et de pleurs. Alors, Gervaise se sentit étouffer, saisie d'un vertige d'angoisse[3], à bout d'espoir; il lui semblait que tout était fini, que les temps étaient finis, que Lantier ne rentrerait plus jamais. Elle allait, les regards perdus, des vieux abattoirs noirs de leur massacre et de leur puanteur, à l'hôpital neuf, blafard, montrant, par les trous encore béants de ses rangées de fenêtres, des salles nues où la mort devait faucher. En face d'elle, derrière le mur de l'octroi, le ciel éclatant, le lever de soleil qui grandissait au-dessus du réveil énorme de Paris l'éblouissait*(2).

[Lantier, finalement, a abandonné Gervaise avec ses petits. Narguée par la grande Virginie, elle se bat avec cette fille dans le lavoir de Mme Fauconnier. Puis elle rentre dans sa chambre vide — dépouillée, désespérée.]

---

1. *Brunisseuse :* ouvrière qui « brunit », qui polit les métaux; **2.** *Piaulements :* cris des petits poulets (fam. en parlant des enfants); **3.** Notez ce procédé de style, commun à la plupart des romanciers naturalistes.

II

[Peu de temps après, Gervaise se laisse courtiser par un ouvrier zingueur, Coupeau, dit Cadet-Cassis, un garçon de vingt-six ans, « très propre, à la mâchoire inférieure saillante, au nez légèrement écrasé, avec de beaux yeux marrons et la face d'un chien joyeux et bon enfant ». Très sobre, quoique de caractère faible, il a invité Gervaise à prendre une prune à l'assommoir du père Colombe.]

Trois semaines plus tard, vers onze heures et demie, un jour de beau soleil, Gervaise et Coupeau, l'ouvrier zingueur[1], mangeaient ensemble une prune[2], à l'Assommoir[3] du père Colombe. Coupeau, qui fumait une cigarette sur le trottoir, l'avait forcée à entrer comme elle traversait la rue, revenant de porter du linge; et son grand panier carré de blanchisseuse était par terre, près d'elle, derrière la petite table de zinc.

L'Assommoir du père Colombe se trouvait au coin de la rue des Poissonniers et du boulevard de Rochechouart[4]. L'enseigne portait, en longues lettres bleues, le seul mot : *Distillation*, d'un bout à l'autre. Il y avait à la porte, dans deux moitiés de futaille, des lauriers-roses poussiéreux. Le comptoir énorme, avec ses files de verres, sa fontaine et ses mesures d'étain, s'allongeait à gauche en entrant; et la vaste salle, tout autour, était ornée de gros tonneaux peints en jaune clair, miroitants de vernis, dont les cercles et les cannelles de cuivre luisaient. Plus haut, sur des étagères, des bouteilles de liqueurs, des bocaux de fruits, toutes sortes de fioles en bon ordre, cachaient les murs, reflétaient dans la glace, derrière le comptoir, leurs taches vives, vert-pomme, or pâle, laque tendre[5]. Mais la curiosité de la maison était, au fond, de l'autre côté d'une barrière de chêne, dans une cour vitrée, l'appareil à distiller que les consommateurs voyaient fonctionner, des alambics aux longs cols, des ser-

---

1. *Zingueur* : ouvrier qui travaille le zinc, et spécialement les gouttières; couvreur; 2. *Prune* macérée dans l'eau-de-vie; 3. *Assommoir* : « nom d'un cabaret de Belleville, qui est devenu celui de tous les cabarets de bas étages, où le peuple boit des liquides frelatés qui le tuent — sans remarquer l'éloquence sinistre de la métaphore » (Delvau); 4. La *rue des Poissonniers* faisait suite à la rue du Faubourg-Poissonnière, montait au flanc de la Butte de Montmartre et redescendait vers Clignancourt. Elle a été amputée de son extrémité sud par le percement du boulevard Ornano (aujourd'hui Barbès). Le *boulevard Rochechouart* avait déjà sa situation actuelle; il a seulement été élargi; 5. La *laque* est une sorte de vernis rouge-brun.

pentins descendant sous terre, une cuisine du diable devant laquelle venaient rêver les ouvriers soûlards[1].

A cette heure du déjeuner, l'Assommoir restait vide. Un gros homme de quarante ans, le père Colombe[2], en gilet à manches, servait une petite fille d'une dizaine d'années, qui lui demandait quatre sous de goutte[3] dans une tasse. Une nappe de soleil entrait par la porte, chauffait le parquet toujours humide des crachats des fumeurs. Et, du comptoir, des tonneaux, de toute la salle, montait une odeur liquoreuse, une fumée d'alcool qui semblait épaissir et griser les poussières volantes du soleil*(3).

[Autour d'eux s'agitent et crient des ouvriers déjà ivres.]

« Oh! c'est vilain de boire! » dit-elle à demi-voix.

Et elle raconta qu'autrefois, avec sa mère, elle buvait de l'anisette[4], à Plassans[5]. Mais elle avait failli en mourir un jour, et ça l'avait dégoûtée; elle ne pouvait plus voir les liqueurs.

« Tenez, ajouta-t-elle en montrant son verre, j'ai mangé ma prune; seulement, je laisserai la sauce[6], parce que ça me ferait du mal. »

Coupeau, lui aussi, ne comprenait pas qu'on pût avaler de pleins verres d'eau-de-vie. Une prune par-ci par-là, ça n'était pas mauvais. Quant au vitriol[7], à l'absinthe[8] et aux autres cochonneries, bonsoir! il n'en fallait pas. Les camarades avaient beau le blaguer[9], il restait à la porte, lorsque ces cheulards-là[10] entraient à la mine à poivre[11]. Le papa Coupeau, qui était zingueur comme lui, s'était écrabouillé la tête sur le pavé de la rue Coquenard, en tombant, un jour

---

1. *Soûlard* : qui aime à boire, à s'enivrer (pop.); 2. Le type du patron d' « assommoir » avait été esquissé par Denis Poulot dans *le Sublime* (cf. l'Introduction); 3. *Goutte* : eau-de-vie, dans l'argot des ouvriers, des paysans et des soldats; 4. *Anisette* : liqueur sucrée faite avec de l'anis; 5. *Plassans* est une petite ville imaginaire de Provence, où Zola a placé le berceau des familles Rougon et Macquart (cf. *la Fortune des Rougon*). En fait, le romancier y a mis tous ses souvenirs d'Aix-en-Provence : il y avait vécu jusqu'à dix-huit ans; 6. L'eau-de-vie dans laquelle ont macéré les prunes; 7. Eau-de-vie pure. Allusion à ses effets corrosifs sur l'estomac (argot de l'époque); 8. *Absinthe* : liqueur alcoolique, un peu amère, aromatisée avec une plante, l'absinthe; elle fit des ravages considérables à la fin du XIXᵉ siècle (Verlaine...). Sa vente est interdite depuis 1915; 9. *Blaguer* : se moquer de. Ce verbe est employé transitivement déjà par les Goncourt; 10. Peut-être forme invertie de *lichard* : ivrogne (argot); 11. Terme d'argot signifiant « cabaret » (cf. *le Sublime*). Jeu de mots sur *poivre* = ivre dans la langue des ivrognes (parce que le poivre donne soif). Cf. *poivrot*.

de ribotte[1], de la gouttière du n° 25; et ce souvenir, dans la famille, les rendait tous sages. Lui, lorsqu'il passait rue Coquenard et qu'il voyait la place, il aurait plutôt bu l'eau du ruisseau que d'avaler un canon[2] gratis chez le marchand de vin. Il conclut par cette phrase :

« Dans notre métier, il faut des jambes solides. »

Gervaise avait repris son panier. Elle ne se levait pourtant pas, le tenait sur ses genoux, les regards perdus, rêvant, comme si les paroles du jeune ouvrier éveillaient en elle des pensées lointaines d'existence. Et elle dit encore, lente-ment, sans transition apparente :

« Mon Dieu! je ne suis pas ambitieuse, je ne demande pas grand-chose... Mon idéal, ce serait de travailler tran-quille, de manger toujours du pain, d'avoir un trou un peu propre pour dormir, vous savez, un lit, une table et deux chaises, pas davantage... Ah! je voudrais aussi élever mes enfants, en faire de bons sujets, si c'était possible... Il y a encore un idéal, ce serait de ne pas être battue, si je me remettais jamais en ménage; non, ça ne me plairait pas d'être battue... Et c'est tout, vous voyez, c'est tout ★(4). »

Elle cherchait, interrogeait ses désirs, ne trouvait plus rien de sérieux qui la tentât. Cependant, elle reprit, après avoir hésité :

« Oui, on peut à la fin avoir le désir de mourir dans son lit... Moi, après avoir bien trimé[3] toute ma vie, je mourrais volontiers dans mon lit, chez moi. »

Et elle se leva. Coupeau, qui approuvait vivement ses souhaits, était déjà debout, s'inquiétant de l'heure. Mais ils ne sortirent pas tout de suite; elle eut la curiosité d'aller regarder, au fond, derrière la barrière de chêne, le grand alambic de cuivre rouge, qui fonctionnait sous le vitrage clair de la petite cour; et le zingueur, qui l'avait suivi, lui expliqua comment ça marchait, indiquant du doigt les diffé-rentes pièces de l'appareil, montrant l'énorme cornue d'où tombait un filet limpide d'alcool. L'alambic, avec ses réci-pients de forme étrange, ses enroulements sans fin de tuyaux, gardait une mine sombre; pas une fumée ne s'échappait; à peine entendait-on un souffle intérieur, un ronflement

---

1. Ou *ribote* : excès de boisson (pop.); cf. *ribaud* ; 2. *Canon* : mesure de liquide en usage chez les marchands de vin (environ 1/8 de litre), ainsi nommée à cause de la forme cylindrique du verre; 3. *Trimer :* se fatiguer, travailler (pop.).

souterrain; c'était comme une besogne de nuit faite en plein jour, par un travailleur morne, puissant et muet. Cependant, Mes-Bottes[1], accompagné de ses deux camarades, était venu s'accouder sur la barrière, en attendant qu'un coin du comptoir fût libre. Il avait un rire de poulie mal graissée, hochant la tête, les yeux attendris, fixés sur la machine à soûler[2]. Tonnerre de Dieu! elle était bien gentille! Il y avait, dans ce gros bedon de cuivre, de quoi se tenir le gosier au frais pendant huit jours. Lui, aurait voulu qu'on lui soudât le bout du serpentin entre les dents, pour sentir le vitriol encore chaud l'emplir, lui descendre jusqu'aux talons, toujours, toujours, comme un petit ruisseau. Dame! il ne se serait plus dérangé, ça aurait joliment remplacé les dés à coudre de ce roussin[3] de père Colombe! Et les camarades ricanaient, disaient que cet animal de Mes-Bottes avait un fichu grelot[4], tout de même. L'alambic, sourdement, sans une flamme, sans une gaieté dans les reflets éteints de ses cuivres, continuait, laissait couler sa sueur d'alcool, pareil à une source lente et entêtée, qui à la longue devait envahir la salle, se répandre sur les boulevards extérieurs, inonder le trou immense de Paris⋆(5).

[Coupeau l'emmène voir la grande maison de la rue de la Goutte-d'Or, où demeurent sa sœur et son beau-frère, les Lorilleux.]

Cependant, ils s'étaient déjà engagés d'une centaine de pas dans la rue de la Goutte-d'Or[5], lorsqu'il s'arrêta, levant les yeux, disant :

« Voilà la maison... Moi, je suis né plus loin, au 22... Mais cette maison-là, tout de même, fait un joli tas de maçonnerie! C'est grand comme une caserne, là-dedans! »

Gervaise haussait le menton, examinait la façade. Sur la rue, la maison avait cinq étages, alignant chacun à la file quinze fenêtres, dont les persiennes noires, aux lames cassées, donnaient un air de ruine à cet immense pan de

1. Camarade de Coupeau. Les ouvriers ont toujours aimé à se donner des surnoms expressifs. Zola a emprunté celui-ci au *Sublime ;* 2. Cette expression est également dans *le Sublime.* C'était le nom d'un cabaret; 3. Sous le second Empire, les mastroquets avaient la réputation (souvent méritée) d'être des indicateurs de la police — la *rousse*, dans l'argot des voleurs; 4. Il parlait bien. Faire entendre son grelot : parler (Delvau); 5. *La rue de la Goutte-d'Or*, parallèle au boulevard de la Chapelle, aboutissait rue des Poissonniers à cette époque (aujourd'hui, elle rejoint le boulevard Barbès).

muraille. En bas, quatre boutiques occupaient le rez-de-chaussée : à droite de la porte, une vaste salle de gargote[1] graisseuse; à gauche, un charbonnier, un mercier et une marchande de parapluies. La maison paraissait d'autant plus colossale qu'elle s'élevait entre deux petites constructions basses, chétives, collées contre elle; et, carrée, pareille à un bloc de mortier gâché grossièrement, se pourrissant et s'émiettant sous la pluie, elle profilait sur le ciel clair, au-dessus des toits voisins, son énorme cube brut, ses flancs non crépis, couleur de boue, d'une nudité interminable de murs de prison, où des rangées de pierres d'attente semblaient des mâchoires caduques, bâillant dans le vide. Mais Gervaise regardait surtout la porte, une immense porte ronde, s'élevant jusqu'au deuxième étage, creusant un porche profond, à l'autre bout duquel on voyait le coup de jour blafard d'une grande cour. Au milieu de ce porche, pavé comme la rue, un ruisseau coulait, roulant une eau rose très tendre★(6).

« Entrez donc, dit Coupeau, on ne vous mangera pas. »

Gervaise voulut l'attendre dans la rue. Cependant, elle ne put s'empêcher de s'enfoncer sous le porche, jusqu'à la loge du concierge, qui était à droite. Et là, au seuil, elle leva de nouveau les yeux. A l'intérieur, les façades avaient six étages, quatre façades régulières enfermant le vaste carré de la cour. C'étaient des murailles grises, mangées d'une lèpre jaune, rayées de bavures par l'égouttement des toits, qui montaient toutes plates du pavé aux ardoises, sans une moulure; seuls les tuyaux de descente se coudaient aux étages, où les caisses béantes des plombs[2] mettaient la tache de leur fonte rouillée. Les fenêtres sans persienne montraient des vitres nues, d'un vert glauque d'eau trouble. Certaines, ouvertes, laissaient pendre des matelas à carreaux bleus, qui prenaient l'air; devant d'autres, sur des cordes tendues, des linges séchaient, toute la lessive d'un ménage, les chemises de l'homme, les camisoles[3] de la femme, les culottes des gamins; il y en avait une, au troisième, où s'étalait une couche d'enfant, emplâtrée d'ordure. Du haut en bas, les logements trop petits crevaient au dehors, lâchaient des bouts de leur misère par toutes les fentes.

---

1. *Gargote* : petit restaurant où l'on mange à bon marché et mal (on dit aussi « gargot »). La gargote fut un des thèmes favoris du roman naturaliste (cf. Huysmans, *A vau-l'eau*); 2. *Plombs* : sorte d'éviers extérieurs en *plomb*, en zinc, ou, comme ici, en fonte; 3. *Camisole* : petit vêtement de femme, généralement en toile, qui se portait par-dessus la chemise.

En bas, desservant chaque façade, une porte haute et étroite, sans boiserie, taillée dans le nu du plâtre, creusait un vestibule lézardé, au fond duquel tournaient les marches boueuses d'un escalier à rampe de fer; et l'on comptait ainsi quatre escaliers, indiqués par les quatre premières lettres de l'alphabet, peintes sur le mur. Les rez-de-chaussée étaient aménagés en immenses ateliers, fermés par des vitrages noirs de poussière : la forge d'un serrurier y flambait; on entendait plus loin des coups de rabot d'un menuisier; tandis que, près de la loge, un laboratoire de teinturier lâchait à gros bouillons ce ruisseau d'un rose tendre coulant sous le porche. Salie de flaques d'eau teintée, de copeaux, d'escarbilles de charbon, plantée d'herbe sur ses bords, entre ses pavés disjoints, la cour s'éclairait d'une clarté crue, comme coupée en deux par la ligne où le soleil s'arrêtait. Du côté de l'ombre, autour de la fontaine dont le robinet entretenait là une continuelle humidité, trois petites poules piquaient le sol, cherchaient des vers de terre, les pattes crottées. Et Gervaise lentement promenait son regard, l'abaissait du sixième étage au pavé, remontait, surprise de cette énormité, se sentant au milieu d'un organe vivant, au cœur même d'une ville, intéressée par la maison, comme si elle avait eu devant elle une personne géante*(7).

« Est-ce que madame demande quelqu'un? » cria la concierge, intriguée, en paraissant à la porte de la loge.

Mais la jeune femme expliqua qu'elle attendait une personne. Elle retourna vers la rue; puis, comme Coupeau tardait, elle revint, attirée, regardant encore. La maison ne lui semblait pas laide. Parmi les loques pendues aux fenêtres, des coins de gaieté riaient, une giroflée fleurie dans un pot, une cage de serins d'où tombait un gazouillement, des miroirs à barbe mettant au fond de l'ombre des éclats d'étoiles rondes. En bas, un menuisier chantait, accompagné par les sifflements réguliers de sa varlope[1]; pendant que, dans l'atelier de serrurerie, un tintamarre de marteau battant en cadence faisait une grosse sonnerie[2] argentine. Puis, à presque toutes les croisées ouvertes, sur le fond de la misère entrevue, des enfants montraient leurs têtes barbouillées et rieuses, des femmes cousaient, avec des profils calmes

---

1. *Varlope :* grand rabot servant à aplanir le bois; 2. Exemple typique du style de Zola : affaiblissement du verbe au profit du substantif; prédominance de la chose sur l'action, de la durée sur l'instant.

penchés sur l'ouvrage. C'était la reprise de la tâche après le déjeuner, les chambres vides des hommes travaillant au dehors, la maison rentrant dans cette grande paix, coupée uniquement du bruit des métiers, du bercement d'un refrain, toujours le même, répété pendant des heures. La cour seulement était un peu humide. Si Gervaise avait demeuré là, elle aurait voulu un logement au fond, du côté du soleil. Elle avait fait cinq ou six pas, elle respirait cette odeur fade des logis pauvres, une odeur de poussière ancienne, de saleté rance ; mais, comme l'âcreté des eaux de teinture dominait, elle trouvait que ça sentait beaucoup moins mauvais qu'à l'hôtel Boncœur. Et elle choisissait déjà sa fenêtre, une fenêtre dans l'encoignure de gauche, où il y avait une petite caisse, plantée de haricots d'Espagne[1], dont les tiges minces commençaient à s'enrouler autour d'un berceau de ficelles*(8).

[Malgré de noirs pressentiments, par gentillesse et par lassitude, Gervaise consent à se laisser épouser. Le couple retourne dans la grande maison, et Coupeau, timidement, présente sa fiancée aux Lorilleux, ouvriers chaînistes travaillant en chambre.

Gervaise sent peser sur elle l'hostilité des Lorilleux. En s'en allant, elle appréhende l'avenir et n'ose encore sourire à son bonheur.]

Mais Gervaise, en descendant l'escalier, se sentait toujours le cœur gros, tourmentée d'une bête de peur, qui lui faisait fouiller avec inquiétude les ombres grandies de la rampe. A cette heure, l'escalier dormait, désert, éclairé seulement par le bec de gaz du second étage, dont la flamme rapetissée mettait, au fond de ce puits de ténèbres, la goutte de clarté d'une veilleuse. Derrière les portes fermées, on entendait le gros silence, le sommeil écrasé[2] des ouvriers couchés au sortir de table. Pourtant, un rire adouci sortait de la chambre de la repasseuse, tandis qu'un filet de lumière glissait par la serrure de Mlle Remanjou, taillant encore, avec un petit bruit de ciseaux, les robes de gaze des poupées à treize sous. En bas, chez Mme Gaudron, un enfant continuait à pleurer. Et les plombs[3] soufflaient une puanteur plus forte, au milieu de la grande paix, noire et muette.

---

1. Variété ornementale de haricots, dont la fleur rouge est très décorative ; 2. Notez la nuance qu'exprime ce passif par différence avec *écrasant* ; 3. Cf. p. 38, note 2.

Puis, dans la cour, pendant que Coupeau demandait le
cordon d'une voix chantante, Gervaise se retourna, regarda
une dernière fois la maison. Elle paraissait grandie sous le
ciel sans lune. Les façades grises, comme nettoyées de leur
lèpre et badigeonnées d'ombre, s'étendaient, montaient; et
elles étaient plus nues encore, toutes plates, déshabillées
des loques séchant le jour au soleil. Les fenêtres closes
dormaient. Quelques-unes, éparses, vivement allumées,
ouvraient des yeux, semblaient faire loucher certains coins.
Au-dessus de chaque vestibule, de bas en haut, à la file, les
vitres des six paliers, blanches d'une lueur pâle, dressaient
une tour étroite de lumière. Un rayon de lampe, tombé de
l'atelier de cartonnage, au second, mettait une traînée jaune
sur le pavé de la cour, trouant les ténèbres qui noyaient les
ateliers du rez-de-chaussée. Et, du fond de ces ténèbres,
dans le coin humide, des gouttes d'eau, sonores au milieu
du silence, tombaient une à une du robinet mal tourné de
la fontaine. Alors, il sembla à Gervaise que la maison était
sur elle, écrasante, glaciale à ses épaules. C'était toujours
sa bête de peur, un enfantillage dont elle souriait ensuite.

« Prenez garde! » cria Coupeau.

Et elle dut, pour sortir, sauter par-dessus une grande
mare, qui avait coulé de la teinturerie. Ce jour-là, la mare
était bleue, d'un azur profond de ciel d'été, où la petite
lampe de nuit du concierge allumait des étoiles*(**9**).

III

[...] Le mariage à la mairie était pour dix heures et demie.
Il faisait très beau, un soleil du tonnerre[1], rôtissant les rues.
Pour ne pas être regardés, les mariés, la maman et les
quatre témoins se séparèrent en deux bandes. En avant,
Gervaise marchait au bras de Lorilleux, tandis que M. Madinier[2] conduisait maman Coupeau; puis, à vingt pas, sur
l'autre trottoir, venaient Coupeau, Boche[3] et Bibi-la-Grillade[4]. Ces trois-là étaient en redingote noire, le dos rond,
les bras ballants; Boche avait un pantalon jaune; Bibi-la-
Grillade, boutonné jusqu'au cou, sans gilet, laissait passer

---

1. Superlatif populaire; **2.** Le propriétaire de l'atelier de cartonnage;
3. Concierge rue des Poissonniers. Il deviendra plus tard le concierge de la
grande maison de la rue de la Goutte-d'Or; **4.** Ouvrier paresseux, type de
« sublime », toujours à faire la fête avec son acolyte Mes-Bottes (cf. p. 37).

seulement un coin de cravate roulé en corde. Seul, M. Madinier portait un habit, un grand habit à queue carrée; et les
passants s'arrêtaient pour voir ce monsieur promenant la
grosse mère Coupeau, en châle vert, en bonnet noir, avec
des rubans rouges. Gervaise, très douce, gaie, dans sa robe
d'un bleu dur, les épaules serrées sous un étroit mantelet,
écoutait complaisamment les ricanements de Lorilleux,
perdu au fond d'un immense paletot sac, malgré la chaleur;
puis, de temps à autre, au coude des rues, elle tournait un
peu la tête, jetait un fin sourire à Coupeau, que ses vêtements
neufs, luisants au soleil, gênaient.

Tout en marchant très lentement, ils arrivèrent à la
mairie une grande demi-heure trop tôt. Et, comme le maire
fut en retard, leur tour vint seulement vers onze heures.
Ils attendirent sur des chaises, dans un coin de la salle,
regardant le haut plafond et la sévérité des murs, parlant
bas, reculant leurs sièges par excès de politesse, chaque fois
qu'un garçon de bureau passait. Pourtant, à demi-voix, ils
traitaient le maire de fainéant; il devait être pour sûr chez
sa blonde à frictionner sa goutte[1]; peut-être bien aussi
qu'il avait avalé son écharpe. Mais, quand le magistrat parut,
ils se levèrent respectueusement. On les fit rasseoir. Alors,
ils assistèrent à trois mariages, perdus dans trois noces
bourgeoises, avec des mariées en blanc, des fillettes frisées,
des demoiselles à ceintures roses, des cortèges interminables
de messieurs et de dames sur leur trente-et-un, l'air très
comme il faut. Puis, quand on les appela, ils faillirent ne
pas être mariés, Bibi-la-Grillade ayant disparu. Boche le
retrouva en bas, sur la place, fumant une pipe. Aussi, ils
étaient encore de jolis cocos[2] dans cette boîte, de se ficher du
monde, parce qu'on n'avait pas de gants beurre frais à leur
mettre sous le nez! Et les formalités, la lecture du Code,
les questions posées, la signature des pièces, furent expédiées
si rondement, qu'ils se regardèrent, se croyant volés d'une
bonne moitié de la cérémonie. Gervaise, étourdie, le cœur
gonflé, appuyait son mouchoir sur ses lèvres. Maman Coupeau pleurait à chaudes larmes. Tous s'étaient appliqués
sur le registre, dessinant leurs noms en grosses lettres

---

1. Soigner ses rhumatismes… Expression plaisante, jaillie de la verve populaire, que Zola prend à son compte et introduit directement dans le récit. Dans
les pages qui suivront, ce procédé deviendra constant; **2.** « Se dit ironiquement
et comme reproche de quelqu'un qui se fait attendre, ou qui fait une farce
désagréable » (Delvau).

boiteuses, sauf le marié qui avait tracé une croix, ne sachant pas écrire. Ils donnèrent chacun quatre sous[1] pour les pauvres. Lorsque le garçon remit à Coupeau le certificat de mariage, celui-ci, le coude poussé par Gervaise, se décida à sortir encore cinq sous*(10).

La trotte était bonne de la mairie à l'église. En chemin, les hommes prirent de la bière, maman Coupeau et Gervaise, du cassis avec de l'eau. Et ils eurent à suivre une longue rue, où le soleil tombait d'aplomb, sans un filet d'ombre. Le bedeau[2] les attendait au milieu de l'église vide; il les poussa vers une petite chapelle, en leur demandant furieusement si c'était pour se moquer de la religion qu'ils arrivaient en retard. Un prêtre vint à grandes enjambées, l'air maussade, la face pâle de faim, précédé par un clerc en surplis[3] sale qui trottinait. Il dépêcha[4] sa messe, mangeant les phrases latines, se tournant, se baissant, élargissant les bras, en hâte, avec des regards obliques sur les mariés et sur les témoins. Les mariés, devant l'autel, très-embarrassés, ne sachant pas quand il fallait s'agenouiller, se lever, s'asseoir, attendaient un geste du clerc[5]. Les témoins, pour être convenables, se tenaient debout tout le temps; tandis que maman Coupeau, reprise par les larmes, pleurait dans le livre de messe qu'elle avait emprunté à une voisine. Cependant, midi avait sonné, la dernière messe était dite, l'église s'emplissait du piétinement des sacristains, du vacarme des chaises remises en place. On devait préparer le maître-autel pour quelque fête, car on entendait le marteau des tapissiers clouant des tentures. Et, au fond de la chapelle perdue, dans la poussière d'un coup de balai donné par le bedeau, le prêtre à l'air maussade promenait vivement ses mains sèches sur les têtes inclinées de Gervaise et de Coupeau, et semblait les unir au milieu d'un déménagement, pendant une absence du bon Dieu, entre deux messes sérieuses. Quand la noce eut de nouveau signé sur un registre, à la sacristie, et qu'elle se retrouva en plein soleil, sous le porche, elle resta un instant là, ahurie, essoufflée d'avoir été menée au galop.

1. Le *sou* était la vingtième partie du franc. La journée de travail de l'ouvrier variait entre 3 et 5 francs (« groupe normal »; cf. G. Duvau, *la Vie ouvrière en France sous le second Empire*). En 1953, il faut multiplier environ par 200 les chiffres cités dans *l'Assommoir* ; 2. *Bedeau :* employé préposé à la surveillance d'une église; 3. *Surplis :* vêtement court de toile blanche que les prêtres revêtent à l'église par-dessus leur soutane; 4. Emploi correct, mais familier, de *dépêcher* (Littré); 5. *Clerc :* jeune homme destiné à la carrière ecclésiastique, qui assiste le prêtre

« Voilà ! » dit Coupeau, avec un rire gêné.

Il se dandinait, il ne trouvait rien là de rigolo[1]. Pourtant, il ajouta :

« Ah bien ! ça ne traîne pas. Ils vous envoient ça en quatre mouvements... C'est comme chez les dentistes : on n'a pas le temps de crier ouf ! ils marient sans douleur.

— Oui, oui, de la belle ouvrage[2], murmura Lorilleux en ricanant. Ça se bâcle en cinq minutes et ça tient toute la vie... Ah ! ce pauvre Cadet-Cassis, va ! »

[Après la cérémonie, les invités ne savent que faire pour attendre le dîner. Un orage les contraint à se réfugier chez un marchand de vin. Puis M. Madinier emmène tout le monde visiter le musée du Louvre.]

Enfin, après avoir descendu la rue Croix-des-Petits-Champs, on arriva au Louvre.

M. Madinier, poliment, demanda à prendre la tête du cortège.

C'était très grand, on pouvait se perdre ; et lui, d'ailleurs, connaissait les beaux endroits, parce qu'il était souvent venu avec un artiste, un garçon bien intelligent, auquel une grande maison de cartonnage achetait les dessins, pour les mettre sur des boîtes. En bas, quand la noce se fut engagée dans le musée assyrien, elle eut un petit frisson. Fichtre ! il ne faisait pas chaud ; la salle aurait fait une fameuse cave. Et, lentement, les couples avançaient, le menton levé, les paupières battantes, entre les colosses de pierre, les dieux de marbre noir muets dans leur raideur hiératique*(11), les bêtes monstrueuses, moitié chattes et moitié femmes, avec des figures de mortes, le nez aminci, les lèvres gonflées. Ils trouvaient tout ça très vilain. On travaillait joliment mieux la pierre au jour d'aujourd'hui[3]. Une inscription en caractères phéniciens les stupéfia. Ce n'était pas possible, personne n'avait jamais lu ce grimoire. Mais M. Madinier, déjà sur le premier palier avec Mᵐᵉ Lorilleux, les appelait, criait sous les voûtes :

« Venez donc. Ce n'est rien, ces machines[4]... C'est au premier qu'il faut voir. »

---

1. *Rigolo :* comique (pop.); 2. *Ouvrage* au féminin est ancien, populaire ou paysan; 3. Pléonasme populaire; 4. Terme d'artiste désignant généralement une œuvre monumentale et ennuyeuse. M. Madinier est fier d'employer l'argot des initiés.

La nudité sévère de l'escalier les rendit graves. Un huissier superbe, en gilet rouge, la livrée galonnée d'or, qui semblait les attendre sur le palier, redoubla leur émotion. Ce fut avec respect, marchant le plus doucement possible, qu'ils entrèrent dans la galerie française.

Alors, sans s'arrêter, les yeux emplis de l'or des cadres, ils suivirent l'enfilade des petits salons, regardant passer les images, trop nombreuses pour être bien vues. Il aurait fallu une heure devant chacune, si l'on avait voulu comprendre. Que de tableaux, sacredié[1] ! ça ne finissait pas. Il devait y en avoir pour de l'argent. Puis, au bout, M. Madinier les arrêta brusquement devant *le Radeau de la Méduse*[2] ; et il leur expliqua le sujet. Tous, saisis, immobiles, se taisaient. Quand on se remit à marcher, Boche résuma le sentiment général : c'était tapé[3].

Dans la galerie d'Apollon[4], le parquet surtout émerveilla la société, un parquet luisant, clair comme un miroir, où les pieds des banquettes se reflétaient. Mlle Remanjou fermait les yeux, parce qu'elle croyait marcher sur de l'eau. On criait à Mme Gaudron de poser ses souliers à plat, à cause de sa position. M. Madinier voulait leur montrer les dorures et les peintures du plafond; mais ça leur cassait le cou, et ils ne distinguaient rien. Alors, avant d'entrer dans le salon carré, il indiqua une fenêtre du geste, en disant : « Voilà le balcon d'où Charles IX a tiré sur le peuple[5]. »

Cependant, il surveillait la queue du cortège. D'un geste, il commanda une halte, au milieu du salon carré. Il n'y avait là que des chefs-d'œuvre, murmurait-il à demi-voix, comme dans une église. On fit le tour du salon. Gervaise demanda le sujet des *Noces de Cana*[6]; c'était bête de ne pas écrire les sujets sur les cadres. Coupeau s'arrêta devant la Joconde[7], à laquelle il trouva une ressemblance avec une de ses tantes. [...] Et, tout au bout, le ménage Gaudron, l'homme la bouche ouverte, la femme les mains sur son ventre,

---

1. Juron, altération du mot Dieu ; 2. Chef-d'œuvre de Géricault (1819) représentant les malheureux survivants du navire français *la Méduse*, qui s'étaient dévorés entre eux sur un radeau ; 3. *Tapé :* frappant, réussi (pop.); 4. La plus belle galerie du Louvre, construite sous Henri IV et reconstruite sous Louis XIV. On y a installé le musée des bijoux ; 5. On a prétendu — mais le fait est contesté — que Charles IX aurait tiré lui-même sur les huguenots le jour de la Saint-Barthélemy ; 6. Grand tableau de Véronèse (peintre de l'école de Venise, XVIe siècle), qui représente Jésus changeant l'eau en vin ; 7. Fameux tableau de Léonard de Vinci, peint vers 1550, représentant la belle Mona Lisa.

restaient béants, attendris et stupides, en face de la Vierge de Murillo[1].

Le tour du salon terminé, M. Madinier voulut qu'on recommençât; ça en valait la peine. Il s'occupait beaucoup de Mme Lorilleux, à cause de sa robe de soie; et, chaque fois qu'elle l'interrompait, il répondait gravement, avec un grand aplomb. Comme elle s'intéressait à la maîtresse du Titien[2], dont elle trouvait la chevelure jaune pareille à la sienne, il la lui donna pour la belle Ferronnière[3], une maîtresse d'Henri IV, sur laquelle on avait joué un drame, à l'Ambigu[4].

Puis, la noce se lança dans la longue galerie où sont les écoles italiennes et flamandes. Encore des tableaux, toujours des tableaux, des saints, des hommes et des femmes avec des figures qu'on ne comprenait pas, des paysages tout noirs, des bêtes devenues jaunes, une débandade de gens et de choses dont le violent tapage de couleurs commençait à leur causer un gros mal de tête. M. Madinier ne parlait plus, menait lentement le cortège, qui le suivait en ordre, tous les cous tordus et les yeux en l'air. Des siècles d'art passaient devant leur ignorance ahurie, la sécheresse fine des primitifs, les splendeurs des Vénitiens, la vie grasse et belle de lumière des Hollandais. Mais ce qui les intéressait le plus, c'étaient encore les copistes, avec leurs chevalets installés parmi le monde, peignant sans gêne; une vieille dame, montée sur une grande échelle, promenant un pinceau à badigeon dans le ciel tendre d'une immense toile, les frappa d'une façon particulière. Peu à peu, pourtant, le bruit avait dû se répandre qu'une noce visitait le Louvre; des peintres accouraient, la bouche fendue d'un rire; des curieux s'asseyaient à l'avance sur des banquettes, pour assister commodément au défilé; tandis que les gardiens, les lèvres pincées, retenaient des mots d'esprit. Et la noce, déjà lasse, perdant de son respect, traînait ses souliers à clous, tapait ses talons sur les parquets sonores, avec le piétinement d'un troupeau débandé, lâché au milieu de la propreté nue et recueillie des salles.

M. Madinier se taisait pour ménager un effet. Il alla droit à la *Kermesse* de Rubens[5]. Là, il ne dit toujours rien, il se

---

1. Peintre espagnol du XVIIe siècle; **2.** Le plus célèbre peintre de l'école vénitienne (1477-1576); **3.** En réalité, la Belle Ferronnière fut une des favorites de François Ier; **4.** Théâtre de Paris fondé en 1769 sur le boulevard du Temple, transféré en 1827 sur le boulevard Saint-Martin; **5.** Œuvre pleine de vie du peintre flamand Rubens (1577-1640).

contenta d'indiquer la toile, d'un coup d'œil égrillard. Les dames, quand elles eurent le nez sur la peinture, poussèrent de petits cris ; puis elles se détournèrent, très rouges. Les hommes les retinrent, rigolant, cherchant les détails orduriers*(**12**).

« Voyez donc! répétait Boche, ça vaut l'argent. En voilà un qui dégobille¹. Et celui-là, il arrose les pissenlits. Et celui-là, oh! celui-là... Ah bien! ils sont propres, ici.

— Allons-nous-en, dit M. Madinier, ravi de son succès. Il n'y a plus rien à voir de ce côté. »

La noce retourna sur ses pas, traversa de nouveau le salon carré et la galerie d'Apollon. Mᵐᵉ Lerat et Mˡˡᵉ Remanjou se plaignaient, déclarant que les jambes leur rentraient dans le corps. Mais le cartonnier voulait montrer à Lorilleux les bijoux anciens. Ça se trouvait à côté, au fond d'une petite pièce, où il serait allé les yeux fermés. Pourtant, il se trompa, égara la noce le long des sept ou huit salles, désertes, froides, garnies seulement de vitrines sévères où s'alignaient une quantité innombrable de pots cassés et de bonshommes très laids. La noce frissonnait, s'ennuyait ferme. Puis, comme elle cherchait une porte, elle tomba dans les dessins. Ce fut une nouvelle course immense ; les dessins n'en finissaient pas, les salons succédaient aux salons, sans rien de drôle, avec des feuilles de papier gribouillées, sous des vitres, contre les murs. M. Madinier, perdant la tête, ne voulant point avouer qu'il était perdu, enfila un escalier, fit monter un étage à la noce. Cette fois, elle voyageait au milieu du musée de la marine, parmi des modèles d'instruments et de canons, des plans en relief, des vaisseaux grands comme des joujoux. Un autre escalier se rencontra, très loin, au bout d'un quart d'heure de marche. Et, l'ayant descendu, elle se retrouva en plein dans les dessins. Alors, le désespoir la prit, elle roula au hasard des salles, les couples toujours à la file, suivant M. Madinier, qui s'épongeait le front, hors de lui, furieux contre l'administration, qu'il accusait d'avoir changé les portes de place. Les gardiens et les visiteurs la regardaient passer, pleins d'étonnement. En moins de vingt minutes, on la revit au salon carré, dans la galerie française, le long des vitrines où dorment les petits dieux de l'Orient. Jamais plus elle ne sortirait. Les jambes cassées,

---

1. *Dégobiller* : vomir (pop.

s'abandonnant, la noce faisait un vacarme énorme, laissant dans sa course le ventre de Mme Gaudron en arrière.

« On ferme! on ferme! » crièrent les voix puissantes des gardiens.

Et elle faillit se laisser enfermer. Il fallut qu'un gardien se mît à la tête, la reconduisît jusqu'à une porte. Puis, dans la cour du Louvre, lorsqu'elle eut repris ses parapluies au vestiaire, elle respira. M. Madinier retrouvait son aplomb; il avait eu tort de ne pas tourner à gauche; maintenant, il se souvenait que les bijoux étaient à gauche. Toute la société, d'ailleurs, affectait d'être contente d'avoir vu ça*(13).

[La noce a encore deux heures à perdre avant le dîner. Sous les averses, elle se propulse à travers les rues de Paris, se réfugie un moment sous le Pont-Royal, monte au sommet de la colonne Vendôme, arrive enfin au *Moulin-d'Argent*, où l'on mange une gibelotte de lapin et du poulet rôti, tout en discutant politique et métier, et en admirant l'appétit de Mes-Bottes, qui provoque la colère du patron. Après les rires, les disputes éclatent; un bal improvisé n'arrange pas les choses: Gervaise et Coupeau s'enfuient, mais tombent sur un vieux croque-mort ivre, le père Bazouge, qui leur livre sa philosophie élémentaire de l'existence: « Quand on est mort... écoutez ça... quand on est mort, c'est pour longtemps. »]

IV

[Les jeunes époux arrangent fort bien leur vie commune. Coupeau est un ouvrier sérieux et rangé. Gervaise travaille comme blanchisseuse chez Mme Fauconnier. Le ménage a mis de l'argent de côté et trouvé un logement rue Neuve-de-la-Goutte-d'Or¹. Gervaise attend un enfant.]

Le ménage vécut dans l'enchantement de sa nouvelle demeure. Le lit d'Étienne occupait le cabinet, où l'on pouvait encore installer une autre couchette d'enfant. La cuisine était grande comme la main et toute noire; mais, en laissant la porte ouverte, on y voyait assez clair; puis, Gervaise n'avait pas à faire des repas de trente personnes, il suffisait qu'elle y trouvât la place de son pot-au-feu. Quant à la grande chambre, elle était leur orgueil. Dès le matin, ils fermaient les rideaux de l'alcôve, des rideaux de calicot²

---

1. Aujourd'hui rue des Islettes, joignant la rue de la Goutte-d'Or au boulevard de la Chapelle. L'aspect de cette rue n'a presque pas changé; 2. *Calicot*: toile de coton assez grossière.

blanc; et la chambre se trouvait transformée en salle à manger, avec la table au milieu, l'armoire et la commode en face l'une de l'autre. Comme la cheminée brûlait jusqu'à quinze sous de charbon de terre par jour, ils l'avaient bouchée; un petit poêle de fonte, posé sur la plaque de marbre, les chauffait pour sept sous pendant les grands froids. Ensuite, Coupeau avait orné les murs de son mieux, en se promettant des embellissements : une haute gravure représentant un maréchal de France, caracolant avec son bâton à la main, entre un canon et un tas de boulets, tenait lieu de glace; au-dessus de la commode, les photographies de la famille étaient rangées sur deux lignes, à droite et à gauche d'un ancien bénitier de porcelaine dorée, dans lequel on mettait des allumettes; sur la corniche de l'armoire, un buste de Pascal faisait pendant à un buste de Béranger[1], l'un grave, l'autre souriant, près du coucou, dont ils semblaient écouter le tic tac. C'était vraiment une belle chambre.

« Devinez combien nous payons ici ? » demandait Gervaise à chaque visiteur.

Et quand on estimait son loyer trop haut, elle triomphait, elle criait, ravie d'être si bien pour si peu d'argent :

« Cent cinquante francs, pas un liard[2] de plus!... Hein! c'est donné! »

La rue Neuve de la Goutte-d'Or elle-même entrait pour une bonne part dans leur contentement. Gervaise y vivait, allant sans cesse de chez elle chez Mme Fauconnier. Coupeau, le soir, descendait maintenant, fumait sa pipe sur le pas de la porte. La rue, sans trottoir, au pavé défoncé, montait. En haut, du côté de la rue de la Goutte-d'Or, il y avait des boutiques sombres aux carreaux sales, des cordonniers, des tonneliers, une épicerie borgne[3], un marchand de vin en faillite, dont les volets fermés depuis des semaines se couvraient d'affiches. A l'autre bout, vers Paris, des maisons de quatre étages barraient le ciel, occupées à leur rez-de-chaussée par des blanchisseuses, les unes près des autres, en tas; seule, une devanture de perruquier de petite ville, peinte en vert, toute pleine de flacons aux couleurs tendres, égayait ce coin sombre du vif éclair de ses plats de cuivre,

---

1. *Béranger* (1780-1857) était le poète-chansonnier le plus aimé du peuple. Pour *Pascal*, l'intérêt que lui avait porté l'époque romantique explique peut-être que son buste ait échoué là; 2. *Liard :* la plus petite division de l'ancienne monnaie (le quart d'un sou); 3. *Borgne :* à l'aspect sale et inquiétant (cf. *louche*).

tenus très propres. Mais la gaieté de la rue se trouvait au milieu, à l'endroit où les constructions, en devenant plus rares et plus basses, laissaient descendre l'air et le soleil. Les hangars du loueur de voitures, l'établissement voisin où l'on fabriquait de l'eau de Seltz[1], le lavoir, en face, élargissaient un vaste espace libre, silencieux, dans lequel les voix étouffées des laveuses et l'haleine régulière de la machine à vapeur semblaient grandir encore le recueillement. Des terrains profonds, des allées s'enfonçant entre des murs noirs, mettaient là un village. Et Coupeau, amusé par les rares passants qui enjambaient le ruissellement continu des eaux savonneuses, disait se souvenir d'un pays où l'avait conduit un de ses oncles, à l'âge de cinq ans. La joie de Gervaise était, à gauche de sa fenêtre, un arbre planté dans une cour, un acacia allongeant une seule de ses branches, et dont la maigre verdure suffisait au charme de toute la rue*(14).

[Une fille naît, qui s'appellera Anna — Nana... Le jour du baptême, les Coupeau achèvent de se lier avec leurs voisins, le forgeron Goujet, dit la Gueule-d'Or, et sa mère. Au moment du Deux-Décembre, voici un aperçu des idées politiques des deux ouvriers.]

Cadet - Cassis, avec son bagout[2] parisien, trouvait la Gueule-d'Or[3] bêta[4]. C'était bien de ne pas licher[5], de ne pas souffler dans le nez des filles, sur les trottoirs; mais il fallait pourtant qu'un homme fût un homme, sans quoi autant valait-il tout de suite porter des jupons. Il le blaguait[6] devant Gervaise, en l'accusant de faire de l'œil à toutes les femmes du quartier; et ce tambour-major[7] de Goujet se défendait violemment. Ça n'empêchait pas les deux ouvriers d'être camarades. Ils s'appelaient le matin, partaient ensemble, buvaient parfois un verre de bière avant de rentrer. Depuis le dîner du baptême, ils se tutoyaient, parce que dire toujours « vous », ça allonge les phrases. Leur amitié en restait là, quand la Gueule-d'Or rendit à

---

1. *Eau de Seltz* : eau gazeuse acidulée; 2. *Bagout* : verve, faconde, volubilité extrême et faussement spirituelle; 3. Surnom de Goujet, à cause de sa belle barbe blonde (Zola l'a trouvé dans *le Sublime*); 4. *Bêta* : « innocent et même niais dans l'argot du peuple » (Delvau); 5. *Licher* : vieux mot pop. : boire; 6. Cf. p. 35, note 9; 7. Les *tambours-majors*, chefs des tambours et clairons des régiments, qui défilent en tête de la musique dans les parades militaires, étaient choisis pour leur belle prestance.

Cadet-Cassis un fier service, un de ces services signalés dont on se souvient la vie entière. C'était au 2 décembre. Le zingueur, par rigolade[1], avait eu la belle idée de descendre voir l'émeute; il se fichait pas mal de la République, du Bonaparte et de tout le tremblement; seulement il adorait la poudre, les coups de fusil lui semblaient drôles. Et il allait très bien être pincé derrière une barricade, si le forgeron ne s'était rencontré là, juste à point pour le protéger de son grand corps et l'aider à filer. Goujet, en remontant la rue du Faubourg-Poissonnière, marchait vite, la figure grave. Lui, s'occupait de politique, était républicain, sagement, au nom de la justice et du bonheur de tous. Cependant, il n'avait pas fait le coup de fusil. Et il donnait ses raisons : le peuple se lassait de payer aux bourgeois les marrons qu'il tirait des cendres, en se brûlant les pattes; février et juin[2] étaient de fameuses leçons; aussi, désormais, les faubourgs laisseraient-ils la ville s'arranger comme elle l'entendrait. Puis, arrivé sur la hauteur, rue des Poissonniers, il avait tourné la tête, regardant Paris; on bâclait[3] tout de même là-bas[4] de la fichue besogne, le peuple un jour pourrait se repentir de s'être croisé les bras. Mais Coupeau ricanait, appelait trop bêtes les ânes qui risquaient leur peau à la seule fin de conserver leurs vingt-cinq francs aux sacrés fainéants de la Chambre[5]. Le soir, les Coupeau invitèrent les Goujet à dîner. Au dessert, Cadet-Cassis et la Gueule-d'Or se posèrent chacun deux gros baisers sur les joues. Maintenant, c'était à la vie à la mort*(**15**).

[Après quatre années de dur travail, les Coupeau sont riches de six cents francs d'économies. Leur fille est déjà presque élevée; les deux fils ont été placés; Gervaise rêve d'une petite boutique, qui est à louer, précisément, dans l'immeuble de la rue de la Goutte-d'Or. Le soir de sa grande décision, elle passe chercher son mari au chantier où il travaille, rue de la Nation.]

---

1. Pour « rigoler », pour rire (pop.); **2.** Allusion aux journées révolutionnaires de 1848, où les ouvriers, massacrés en juin, eurent le sentiment d'avoir tiré les marrons du feu pour la bourgeoisie quand ils avaient fait la révolution de février; **3.** *Bâcler :* faire rapidement et avec négligence. Ici, le sens péjoratif du verbe s'attache plutôt à son complément; **4.** Goujet pense spécialement aux Tuileries, où vit l'empereur; **5.** Allusion à l'indemnité allouée aux représentants du peuple par la IIe République. Zola reprend au compte de Coupeau la réflexion (dont l'authenticité est controversée) que fit une femme du peuple au représentant Baudin le 3 décembre 1851 : « Vous croyez donc que nos hommes vont se faire tuer pour vous conserver vos vingt-cinq francs ? — Eh bien, répondit Baudin, vous allez voir comment on meurt pour **vingt**-cinq francs. » Et il s'élança sur la barricade, où il tomba mort.

Coupeau terminait alors la toiture d'une maison neuve, à trois étages. Ce jour-là, il devait justement poser les dernières feuilles de zinc. Comme le toit était presque plat, il y avait installé son établi, un large volet sur deux tréteaux. Un beau soleil de mai se couchait, dorant les cheminées. Et, tout là-haut, dans le ciel clair, l'ouvrier taillait tranquillement son zinc à coups de cisaille, penché sur l'établi, pareil à un tailleur coupant chez lui une paire de culottes. Contre le mur de la maison voisine, son aide, un gamin de dix-sept ans, fluet et blond, entretenait le feu du réchaud en manœuvrant un énorme soufflet, dont chaque haleine faisait envoler un pétillement d'étincelles.

« Hé! Zidore, mets les fers! » cria Coupeau.

L'aide enfonça les fers à souder au milieu de la braise, d'un rose pâle dans le plein jour. Puis, il se remit à souffler. Coupeau tenait la dernière feuille de zinc. Elle restait à poser au bord du toit, près de la gouttière; là, il y avait une brusque pente, et le trou béant de la rue se creusait. Le zingueur, comme chez lui, en chaussons de lisières[1], s'avança, traînant les pieds, sifflotant l'air d'*Ohé! les p'tits agneaux!* Arrivé devant le trou, il se laissa couler, s'arc-bouta d'un genou contre la maçonnerie d'une cheminée, resta à moitié chemin du pavé. Une de ses jambes pendait. Quand il se renversait pour appeler cette couleuvre[2] de Zidore, il se rattrapait à un coin de la maçonnerie à cause du trottoir, là-bas, sous lui.

« Sacré lambin, va!.. Donne donc les fers! Quand tu regarderas en l'air, bougre d'efflanqué! les alouettes ne te tomberont pas toutes rôties!*(16) »

Mais Zidore ne se pressait pas. Il s'intéressait aux toits voisins, à une grosse fumée qui montait au fond de Paris, du côté de Grenelle; ça pouvait bien être un incendie. Pourtant, il vint se mettre à plat ventre, la tête au-dessus du trou; et il passa les fers à Coupeau. Alors, celui-ci commença à souder la feuille. Il s'accroupissait, s'allongeait, trouvant toujours son équilibre, assis d'une fesse, perché sur la pointe d'un pied, retenu par un doigt. Il avait un sacré aplomb, un toupet du tonnerre, familier, bravant le danger. Ça le connaissait. C'était la rue qui avait peur de lui. Comme il

---

1. *Chaussons* bon marché fabriqués avec les *lisières*, c'est-à-dire les bords qui terminent, de chaque côté, la largeur d'une pièce de drap; **2.** Ne dit-on pas : paresseux comme une couleuvre?

ne lâchait pas sa pipe, il se tournait de temps à autre, il crachait paisiblement dans la rue.

« Tiens! madame Boche[1], cria-t-il tout d'un coup. Ohé! madame Boche! »

Il venait d'apercevoir la concierge traversant la chaussée. Elle leva la tête, le reconnut. Et une conversation s'engagea du toit au trottoir. Elle cachait ses mains sous son tablier, le nez en l'air. Lui, debout maintenant, son bras gauche passé autour d'un tuyau, se penchait.

« Vous n'avez pas vu ma femme? demanda-t-il.

— Non, bien sûr, répondit la concierge. Elle est par ici?

— Elle doit venir me prendre... Et l'on se porte bien chez vous?

— Mais oui, merci, c'est moi la plus malade, vous voyez... Je vais chaussée Clignancourt chercher un petit gigot. Le boucher, près du Moulin-Rouge, ne le vend que seize sous. »

Ils haussaient la voix, parce qu'une voiture passait dans la rue de la Nation, large, déserte; leurs paroles, lancées à toute volée, avaient seulement fait mettre à sa fenêtre une petite vieille; et cette vieille restait là, accoudée, se donnant la distraction d'une grosse émotion, à regarder cet homme, sur la toiture d'en face, comme si elle espérait le voir tomber d'une minute à l'autre.

« Eh bien! bonsoir, cria encore Mme Boche. Je ne veux pas vous déranger. »

Coupeau se tourna, reprit le fer que Zidore lui tendait. Mais au moment où la concierge s'éloignait, elle aperçut sur l'autre trottoir Gervaise, tenant Nana par la main. Elle relevait déjà la tête pour avertir le zingueur, lorsque la jeune femme lui ferma la bouche d'un geste énergique. Et, à demi-voix, afin de n'être pas entendue là-haut, elle dit sa crainte : elle redoutait, en se montrant tout d'un coup, de donner à son mari une secousse, qui le précipiterait. En quatre ans, elle était allée le chercher une seule fois à son travail. Ce jour-là, c'était la seconde fois. Elle ne pouvait pas assister à ça, son sang ne faisait qu'un tour, quand elle voyait son homme entre ciel et terre, à des endroits où les moineaux eux-mêmes ne se risquaient pas.

« Sans doute, ce n'est pas agréable, murmurait Mme Boche. Moi, le mien est tailleur, je n'ai pas des tremblements.

---

1. C'est la concierge (cf. chap. III), qui était à la noce.

— Si vous saviez, dans les premiers temps, dit encore Gervaise, j'avais des frayeurs du matin au soir. Je le voyais toujours, la tête cassée, sur une civière... Maintenant, je n'y pense plus autant. On s'habitue à tout. Il faut bien que le pain se gagne... N'importe, c'est un pain joliment cher, car on y risque ses os plus souvent qu'à son tour. »

Elle se tut, cachant Nana dans sa jupe, craignant un cri de la petite. Malgré elle, toute pâle, elle regardait. Justement, Coupeau soudait le bord extrême de la feuille, près de la gouttière; il se coulait le plus possible, ne pouvait atteindre le bout. Alors, il se risqua, avec ces mouvements ralentis des ouvriers, pleins d'aisance et de lourdeur. Un moment, il fut au-dessus du pavé, ne se tenant plus, tranquille, à son affaire; et d'en bas, sous le fer promené d'une main soigneuse, on voyait grésiller la petite flamme blanche de la soudure. Gervaise, muette, la gorge étranglée par l'angoisse, avait serré les mains, les élevait d'un geste machinal de supplication. Mais elle respira bruyamment, Coupeau venait de remonter sur le toit, sans se presser, prenant le temps de cracher une dernière fois dans la rue.

« On moucharde[1] donc! cria-t-il gaiement en l'apercevant. Elle a fait la bête, n'est-ce pas? madame Boche; elle n'a pas voulu appeler... Attends-moi, j'en ai encore pour dix minutes. »

Il lui restait à poser un chapiteau[2] de cheminée, une bricole[3] de rien du tout. La blanchisseuse et la concierge demeurèrent sur le trottoir, causant du quartier, surveillant Nana, pour l'empêcher de barboter dans le ruisseau, où elle cherchait des petits poissons; et les deux femmes revenaient toujours à la toiture, avec des sourires, des hochements de tête, comme pour dire qu'elles ne s'impatientaient pas. En face, la vieille n'avait pas quitté sa fenêtre, regardant l'homme, attendant.

« Qu'est-ce qu'elle a donc à espionner, cette bique[4]! dit Mme Boche. Une fichue mine! »

Là-haut, on entendait la voix forte du zingueur chantant : *Ah! qu'il fait bon cueillir la fraise!* Maintenant, penché sur son établi, il coupait son zinc en artiste. D'un tour de compas, il avait tracé une ligne, et il détachait un large

1. *Moucharder* : espionner (fam.); 2. *Chapiteau* : partie supérieure, en zinc, de la cheminée; 3. *Bricole* : petit travail insignifiant, dans l'argot ouvrier; 4. Nom populaire de la chèvre employé comme injure.

éventail, à l'aide d'une paire de cisailles cintrées; puis, légèrement, au marteau, il ployait cet éventail en forme de champignon pointu. Zidore s'était remis à souffler la braise du réchaud. Le soleil se couchait derrière la maison, dans une grande clarté rose, lentement pâlie, tournant au lilas tendre. Et en plein ciel, à cette heure recueillie du jour, les silhouettes des deux ouvriers, grandies démesurément, se découpaient sur le fond limpide de l'air, avec la barre sombre de l'établi et l'étrange profil du soufflet*(**17**).

Quand le chapiteau fut taillé, Coupeau jeta son appel :
« Zidore! les fers! »

Mais Zidore venait de disparaître. Le zingueur, en jurant, le chercha du regard, l'appela par la lucarne du grenier restée ouverte. Enfin, il le découvrit sur un toit voisin, à deux maisons de distance. Le galopin se promenait, explorait les environs, ses maigres cheveux blonds s'envolant au grand air, clignant les yeux en face de l'immensité de Paris.

« Dis donc, la flâne¹! est-ce que tu te crois à la campagne! dit Coupeau furieux. Tu es comme monsieur Béranger², tu composes des vers, peut-être!... Veux-tu bien me donner les fers! A-t-on jamais vu! se balader³ sur les toits! Amène-z-y ta connaissance⁴ tout de suite, pour lui chanter des mamours⁵... Veux-tu me donner les fers, sacrée andouille⁶! »

Il souda, il cria à Gervaise :
« Voilà, c'est fini... Je descends. »

Le tuyau auquel il devait adapter le chapiteau se trouvait au milieu du toit. Gervaise, tranquillisée, continuait à sourire en suivant ses mouvements. Nana, rassurée tout d'un coup par la vue de son père, tapait dans ses petites mains. Elle s'était assise sur le trottoir, pour mieux voir là-haut.

« Papa! papa! criait-elle de toute sa force; papa! regarde donc! »

Le zingueur voulut se pencher, mais son pied glissa. Alors, brusquement, bêtement, comme un chat dont les pattes s'embrouillent, il roula, il descendit la pente légère de la toiture, sans pouvoir se rattraper.

---

1. Surnom expressif, jailli spontanément de la bouche de l'ouvrier; **2.** Cf. p. 49, note 1; **3.** *Se balader :* « marcher sans but, flâner » (Delvau); **4.** *Connaissance :* fiancée, petite amie (le mot est dans *le Sublime*); **5.** Paroles d'amour (pop., d'après « mon amour, m'amour »); **6.** *Andouille :* « homme sans caractère, sans énergie, dans l'argot du peuple, qui emprunte volontiers ses comparaisons à la charcuterie » (Delvau).

« Nom de Dieu ! » dit-il d'une voix étouffée.

Et il tomba. Son corps décrivit une courbe molle, tourna deux fois sur lui-même, vint s'écraser au milieu de la rue avec le coup sourd d'un paquet de linge jeté de haut.

Gervaise, stupide, la gorge déchirée d'un grand cri, resta les bras en l'air. Des passants accoururent, un attroupement se forma. Mme Boche, bouleversée, fléchissant sur les jambes, prit Nana entre les bras, pour lui cacher la tête et l'empêcher de voir. Cependant, en face, la petite vieille, comme satisfaite, fermait tranquillement sa fenêtre*(**18**).

[Coupeau s'est cassé la jambe. A force de soins et d'affection, Gervaise guérit son homme. Il n'en garde pas moins une grosse rancune contre le métier et commence à prendre des habitudes de paresse. Bientôt, il se met à boire.]

Cependant, Coupeau, au bout de deux mois, put commencer à se lever. Il ne se promenait pas loin, du lit à la fenêtre et encore soutenu par Gervaise. Là, il s'asseyait dans le fauteuil des Lorilleux[1], la jambe droite allongée sur un tabouret. Ce blagueur, qui allait rigoler des pattes cassées, les jours de verglas, était très vexé de son accident. Il manquait de philosophie. Il avait passé ces deux mois dans le lit, à jurer, à faire enrager le monde. Ce n'était pas une existence, vraiment, de vivre sur le dos, avec une quille[2] ficelée et raide comme un saucisson. Ah ! il connaîtrait le plafond, par exemple ; il y avait une fente, au coin de l'alcôve, qu'il aurait dessinée les yeux fermés. Puis, quand il s'installa dans le fauteuil, ce fut une autre histoire. Est-ce qu'il resterait longtemps cloué là, pareil à une momie ? La rue n'était pas si drôle, il n'y passait personne, ça puait l'eau de javelle[3] toute la journée. Non, vrai, il se faisait trop vieux[4], il aurait donné dix ans de sa vie pour savoir seulement comment se portaient les fortifications. Et il revenait toujours à des accusations violentes contre le sort. Ça n'était pas juste, son accident ; ça n'aurait pas dû lui arriver, à lui un bon ouvrier, pas fainéant, pas soûlard. A d'autres peut-être, il aurait compris.

« Le papa Coupeau, disait-il, s'est cassé le cou, un jour

---

1. Sa sœur lui a prêté un fauteuil ; 2. *Quille :* jambe, en argot (allusion à la forme) ; 3. Il semble qu'il faille écrire plutôt *Javel*, faubourg de Paris où l'on fabriqua d'abord ce désinfectant. Mais le peuple a confondu avec *javelle*, petit fagot de paille ou de sarments ; 4. Il s'ennuyait.

de ribotte[1]. Je ne puis pas dire que c'était mérité, mais enfin la chose s'expliquait... Moi, à jeun, tranquille comme Baptiste[2], sans une goutte de liquide dans le corps, et voilà que je dégringole en voulant me tourner pour faire une risette à Nana!... Vous ne trouvez pas ça trop fort? S'il y a un bon Dieu, il arrange drôlement les choses. Jamais je n'avalerai ça. »

Et, quand les jambes lui revinrent, il garda une sourde rancune contre le travail. C'était un métier de malheur, de passer ses journées comme les chats, le long des gouttières. Eux pas bêtes, les bourgeois! ils vous envoyaient à la mort, bien trop poltrons pour se risquer sur une échelle, s'installant solidement au coin de leur feu et se fichant du pauvre monde. Et il en arrivait à dire que chacun aurait dû poser son zinc sur sa maison. Dame! en bonne justice, on devait en venir là : si tu ne veux pas être mouillé, mets-toi à couvert. Puis, il regrettait de ne pas avoir appris un autre métier, plus joli et moins dangereux, celui d'ébéniste, par exemple. Ça, c'était encore la faute du père Coupeau; les pères avaient cette bête d'habitude de fourrer quand même les enfants dans leur partie[3]*(**19**).

Pendant deux mois encore, Coupeau marcha avec des béquilles. Il avait d'abord pu descendre dans la rue, fumer une pipe devant la porte. Ensuite, il était allé jusqu'au boulevard extérieur, se traînant au soleil, restant des heures assis sur un banc. La gaieté lui revenait, son bagou[4] d'enfer s'aiguisait dans ses longues flâneries. Et il prenait là, avec le plaisir de vivre, une joie à ne rien faire, les membres abandonnés, les muscles glissant à un sommeil très doux; c'était comme une lente conquête de la paresse, qui profitait de sa convalescence pour entrer dans sa peau et l'engourdir, en la chatouillant. Il revenait bien portant, goguenard[5], trouvant la vie belle, ne voyant pas pourquoi ça ne durerait pas toujours. Lorsqu'il put se passer de béquilles, il poussa ses promenades plus loin, courut les chantiers pour revoir les camarades. Il restait les bras croisés en face de maisons en construction, avec des ricanements, des hochements de tête; et il blaguait les ouvriers qui trimaient[6], il allongeait

---

1. Cf. p. 36, note 1; **2.** Cette comparaison vient du mime Baptiste Deburau, qui restait imperturbable, même sous les coups; **3.** *Partie :* profession; **4.** Cf. p. 50, note 2, où Zola écrit ce mot avec un *t* (on l'écrit aussi avec un *l*); **5.** D'humeur plaisante et railleuse (cf. le vieux mot *gogue :* fête); **6.** Cf. p. 36, note 3.

sa jambe, pour leur montrer où ça menait de s'esquinter le tempérament¹. Ces stations gouailleuses devant la besogne des autres satisfaisaient sa rancune contre le travail. Sans doute, il s'y remettrait, il le fallait bien; mais ce serait le plus tard possible. Oh! il était payé pour manquer d'enthousiasme. Puis, ça lui semblait si bon de faire un peu la vache²!★(20).

[...] Gervaise, depuis longtemps, s'était remise au travail. Elle n'avait plus la peine d'enlever et de replacer le globe de la pendule³; toutes les économies se trouvaient mangées; et il fallait piocher⁴ dur, piocher pour quatre, car ils étaient quatre bouches à table. Elle seule nourrissait tout ce monde. Quand elle entendait les gens la plaindre, elle excusait vite Coupeau. Pensez donc! il avait tant souffert, ce n'était pas étonnant, si son caractère prenait de l'aigreur! Mais ça passerait avec la santé. Et si on lui laissait entendre que Coupeau semblait solide à présent, qu'il pouvait bien retourner au chantier, elle se récriait. Non, non, pas encore! Elle ne voulait pas l'avoir de nouveau au lit. Elle savait bien ce que le médecin lui disait, peut-être! C'était elle qui l'empêchait de travailler, en lui répétant chaque matin de prendre son temps, de ne pas se forcer. Elle lui glissait même des pièces de vingt sous dans la poche de son gilet. Coupeau acceptait ça comme une chose naturelle; il se plaignait de toutes sortes de douleurs pour se faire dorloter⁵; au bout de six mois, sa convalescence durait toujours. Maintenant, les jours où il allait regarder travailler les autres, il entrait volontiers boire un canon⁶ avec les camarades. Tout de même, on n'était pas mal chez le marchand de vin; on rigolait, on restait là cinq minutes. Ça ne déshonorait personne. Les poseurs seuls affectaient de crever de soif à la porte. Autrefois, on avait bien raison de le blaguer, attendu qu'un verre de vin n'a jamais tué un homme. Mais il se tapait la poitrine en se faisant un honneur de ne boire que du vin; toujours du vin, jamais de l'eau-de-vie; le vin prolongeait l'existence, n'indisposait pas, ne soûlait pas. Pourtant, à plusieurs reprises, après des journées de désœuvrement, passées de chantier en chantier, de cabaret en cabaret, il était rentré éméché⁷.

---

1. « Se fatiguer excessivement » (Delvau); **2.** Fainéanter (terme d'argot; cf. *avachi*); **3.** C'est sous ce globe que Gervaise cachait ses économies; **4.** *Piocher* : travailler (fam.); **5.** *Dorloter* : traiter avec soin et délicatesse, comme un enfant; **6.** Cf. p. 36, note 2; **7.** *Eméché* : « grisé, sur la pente de l'ivresse, dans l'argot des faubouriens » (Delvau).

Gervaise, ces jours-là, avait fermé sa porte, en prétextant elle-même un gros mal de tête, pour empêcher les Goujet d'entendre les bêtises de Coupeau*(**21**).

[Malgré les grosses dépenses causées par cet accident, Gervaise parvient à réaliser son rêve : elle loue la petite boutique de la rue de la Goutte-d'Or. Goujet, qui l'aime « comme une sainte Vierge », lui a prêté l'argent qu'il avait mis de côté pour son mariage.]

V

[Voici les Coupeau dans leur nouveau logement. Le local est petit, mais on a refait les peintures, on s'installe peu à peu sous le nez des Lorilleux rongés d'envie, Gervaise commence à se faire une petite clientèle comme « blanchisseuse de fin ». Elle est heureuse dans sa nouvelle condition.]

Au milieu de ces cancans[1], Gervaise, tranquille, souriante, sur le seuil de sa boutique, saluait les amis d'un petit signe de tête affectueux. Elle se plaisait à venir là, une minute, entre deux coups de fer, pour rire à la rue, avec le gonflement de vanité d'une commerçante, qui a un bout de trottoir à elle. La rue de la Goutte-d'Or lui appartenait, et les rues voisines, et le quartier tout entier. Quand elle allongeait la tête, en camisole blanche, les bras nus, ses cheveux blonds envolés dans le feu du travail, elle jetait un regard à gauche, un regard à droite, aux deux bouts, pour prendre d'un trait les passants, les maisons, le pavé et le ciel : à gauche, la rue de la Goutte-d'Or s'enfonçait, paisible, déserte, dans un coin de province, où des femmes causaient bas sur les portes ; à droite, à quelques pas, la rue des Poissonniers mettait un vacarme de voitures, un continuel piétinement de foule, qui refluait et faisait de ce bout un carrefour de cohue populaire. Gervaise aimait la rue, les cahots des camions dans les trous du gros pavé bossué, les bousculades des gens le long des minces trottoirs, interrompus par des cailloutis en pente raide ; ses trois mètres de ruisseau, devant sa boutique, prenaient une importance énorme, un fleuve large, qu'elle voulait très propre, un fleuve étrange et vivant, dont la teinturerie de la maison colorait les eaux des caprices les plus tendres, au milieu de la boue noire. Puis, elle s'intéressait à des magasins, une vaste épicerie, avec un étalage

1. *Cancans :* médisances.

de fruits secs garanti par des filets à petites mailles, une lingerie et bonneterie d'ouvriers, balançant au moindre souffle des cottes et des blouses bleues, pendues les jambes et les bras écartés. Chez la fruitière, chez la tripière, elle apercevait des angles de comptoir, où des chats superbes et tranquilles ronronnaient. Sa voisine, Mme Vigouroux, la charbonnière, lui rendait son salut, une petite femme grasse, la face noire, les yeux luisants, fainéantant à rire avec des hommes, adossée contre sa devanture, que des bûches peintes sur un fond lie de vin décoraient d'un dessin compliqué de chalet rustique. Mmes Cudorge, la mère et la fille, ses autres voisines qui tenaient la boutique de parapluies, ne se montraient jamais, leur vitrine assombrie, leur porte close, ornée de deux petites ombrelles de zinc enduites d'une épaisse couche de vermillon vif. Mais Gervaise, avant de rentrer, donnait toujours un coup d'œil en face d'elle, à un grand mur blanc, sans une fenêtre, percé d'une immense porte cochère, par laquelle on voyait le flamboiement d'une forge, dans une cour encombrée de charrettes et de carrioles, les brancards en l'air. Sur le mur, le mot : *Maréchalerie*, était écrit en grandes lettres, encadré d'un éventail de fers à cheval. Toute la journée, les marteaux sonnaient sur l'enclume, des incendies d'étincelles éclairaient l'ombre blafarde de la cour. Et, au bas de ce mur, au fond d'un trou, grand comme une armoire, entre une marchande de ferraille et une marchande de pommes de terre frites, il y avait un horloger, un monsieur en redingote[1], l'air propre, qui fouillait continuellement des montres avec des outils mignons[2], devant un établi où des choses délicates dormaient sous des verres; tandis que, derrière lui, les balanciers de deux ou trois douzaines de coucous tout petits battaient à la fois, dans la misère noire de la rue et le vacarme cadencé de la maréchalerie*(22).

Le quartier trouvait Gervaise bien gentille. Sans doute, on clabaudait[3] sur son compte, mais il n'y avait qu'une voix pour lui reconnaître de grands yeux, une bouche pas plus longue que ça, avec des dents très blanches. Enfin, c'était une jolie blonde, et elle aurait pu se mettre parmi les plus belles, sans le malheur de sa jambe. Elle était dans ses

---

1. *Redingote* : vêtement d'homme à longues basques — signe de respectabilité à cette époque; 2. *Mignons* : jolis et délicats; 3. *Clabauder* : « médire, cancaner (vient d'un vieux terme de vénerie) » [Delvau].

vingt-huit ans, elle avait engraissé. Ses traits fins s'empâtaient, ses gestes prenaient une lenteur heureuse. Maintenant, elle s'oubliait parfois sur le bord d'une chaise, le temps d'attendre son fer, avec un sourire vague, la face noyée d'une joie gourmande. Elle devenait gourmande; ça, tout le monde le disait; mais ce n'était pas un vilain défaut, au contraire. Quand on gagne de quoi se payer de fins morceaux, n'est-ce pas? on serait bien bête de manger des pelures de pommes de terre. D'autant plus qu'elle travaillait toujours dur, se mettant en quatre pour ses pratiques[1], passant elle-même les nuits, les volets fermés, lorsque la besogne était pressée. Comme on disait dans le quartier, elle avait la veine, tout lui prospérait. Elle blanchissait la maison, M. Madinier, Mlle Remanjou, les Boche; elle enlevait même à son ancienne patronne, Mme Fauconnier, des dames de Paris logées rue du Faubourg-Poissonnière. Dès la seconde quinzaine, elle avait dû prendre deux ouvrières, Mme Putois et la grande Clémence, cette fille qui habitait autrefois au sixième; ça lui faisait trois personnes chez elle, avec son apprentie, ce petit louchon[2] d'Augustine, laide comme un derrière de pauvre homme. D'autres auraient pour sûr perdu la tête dans ce coup de fortune. Elle était bien pardonnable de fricoter[3] un peu le lundi, après avoir trimé la semaine entière. D'ailleurs, il lui fallait ça; elle serait restée gnangnan[4], à regarder les chemises se repasser toutes seules, si elle ne s'était pas collé un velours[5] sur la poitrine, quelque chose de bon dont l'envie lui chatouillait le jabot[6]★**(23)**. [...]

C'était surtout pour Coupeau que Gervaise se montrait gentille. Jamais une mauvaise parole, jamais une plainte derrière le dos de son mari. Le zingueur avait fini par se remettre au travail; et, comme son chantier était alors à l'autre bout de Paris, elle lui donnait tous les matins quarante sous pour son déjeuner, sa goutte et son tabac. Seulement, deux jours sur six, Coupeau s'arrêtait en route, buvait les quarante sous avec un ami, et revenait déjeuner en racontant une histoire. Une fois même, il n'était pas allé loin, il s'était payé avec Mes-Bottes et trois autres un

---

1. *Pratiques :* clients; 2. *Louchon :* personne qui louche (pop.); 3. *Fricoter :* faire de la bonne cuisine, de bons petits « fricots » (pop.) [Delvau]; 4. *Gnangnan :* « mou, paresseux, sans courage » (Delvau); 5. *Velours :* quelque chose de doux à l'estomac (cf. un potage *velouté*); 6. *Jabot :* « estomac » (Delvau). Le terme est emprunté à l'anatomie des volatiles.

gueuleton soigné, des escargots, du rôti et du vin cacheté[1], au *Capucin*, barrière de la Chapelle; puis, comme ses quarante sous ne suffisaient pas, il avait envoyé la note à sa femme par un garçon, en lui faisant dire qu'il était au clou[2]. Celle-ci riait, haussait les épaules. Où était le mal, si son homme s'amusait un peu? Il fallait laisser aux hommes la corde longue, quand on voulait vivre en paix dans son ménage. D'un mot à un autre, on en arrivait vite aux coups. Mon Dieu! on devait tout comprendre. Coupeau souffrait encore de sa jambe, puis il se trouvait entraîné, il était bien forcé de faire comme les autres, sous peine de passer pour un mufe[3]. D'ailleurs, ça ne tirait pas à conséquence; s'il rentrait éméché[4], il se couchait, et deux heures après il n'y paraissait plus.

[Mais Coupeau se dérange de plus en plus souvent. Il ne travaille guère que par à-coups, flâne dans la blanchisserie, plaisante avec les ouvrières et rentre constamment éméché. Sournoisement, les Lorilleux favorisent son inconduite.]

Les lendemains de culotte[5], le zingueur avait mal aux cheveux, un mal aux cheveux terrible qui le tenait tout le jour les crins[6] défrisés, le bec empesté, la margoulette[7] enflée et de travers. Il se levait tard, secouait ses puces[8] sur les huit heures seulement; et il crachait, traînaillait dans la boutique, ne se décidait pas à partir pour le chantier. La journée était encore perdue. Le matin, il se plaignait d'avoir des guibolles[9] de coton, il s'appelait trop bête de gueuletonner comme ça, puisque ça vous démantibulait le tempérament[10]. Aussi, on rencontrait un tas de gouapes[11], qui ne voulaient pas vous lâcher le coude; on gobelottait[12] malgré soi, on se trouvait dans toutes sortes de fourbis[13], on finissait par se laisser pincer, et raide! Ah! fichtre non!

1. C'est-à-dire du vin en bouteilles cachetées à la cire — donc du vin de qualité supérieure; **2.** *Clou :* « prison, dans l'argot des voleurs » (Delvau); **3.** *Mufe* (ou *muffle*, *mufle*) : « homme bête et grossier, goujat » (Delvau); **4.** Cf. p. 58, note 7; **5.** *Culotte :* « ivresse » (Delvau); **6.** *Crins :* « cheveux » (Delvau); **7.** *Margoulette :* bouche (pop.); **8.** Se secouait (pop.); **9.** *Guibolles :* jambes (pop.); **10.** Toutes ces expressions, que Zola n'a pas prises dans Delvau, semblent venir directement des milieux populaires, que Zola connaissait bien pour les avoir fréquentés dans sa jeunesse; **11.** *Gouapes :* « fainéants qui fréquentent les cabarets » (Delvau). Zola définit Coupeau comme l'ouvrier *gouapeur* ; **12.** *Gobelotter :* « boire des petits coups de cabaret en cabaret » (Delvau). Le mot vient de *gobelet ;* **13.** *Fourbis :* littéralement tout ce qui se *fourbit* et s'astique (argot militaire). Puis n'importe quoi de suspect et de compliqué.

Les Repasseuses.
Tableau
d'Edgar Degas
(1869).
[Musée du Louvre,
Jeu de Paume.]

Phot. Giraudon.

ça ne lui arriverait plus; il n'entendait pas laisser ses bottes[1] chez le mastroquet à la fleur de l'âge. Mais, après le déjeuner, il se requinquait[2], poussait des hum! hum! pour se prouver qu'il avait encore un bon creux. Il commençait à nier la noce de la veille, un peu d'allumage[3] peut-être. On n'en faisait plus de comme lui, solide au poste, une poigne du diable, buvant tout ce qu'il voulait sans cligner un œil. Alors, l'après-midi entière, il flânochait[4] dans le quartier. Quand il avait bien embêté les ouvrières, sa femme lui donnait vingt sous pour qu'il débarrassât le plancher. Il filait, il allait acheter son tabac à *la Petite Civette*, rue des Poissonniers, où il prenait généralement une prune, lorsqu'il rencontrait un ami. Puis, il achevait de casser[5] la pièce de vingt sous chez François, au coin de la rue de la Goutte-d'Or, où il y avait un joli vin, tout jeune, chatouillant le gosier. C'était un mannezingue[6] de l'ancien jeu, une boutique noire, sous un plafond bas, avec une salle enfumée, à côté, dans laquelle on vendait de la soupe. Et il restait là jusqu'au soir, à jouer des canons[7] au tourniquet[8]; il avait l'œil chez François, qui promettait formellement de ne jamais présenter la note à la bourgeoise[9]. N'est-ce pas? il fallait bien se rincer un peu la dalle[10], pour la débarrasser des crasses de la veille. Un verre de vin en pousse un autre. Lui, d'ailleurs, toujours bon zigue[11], ne donnant pas une chiquenaude au sexe, aimant la rigolade, bien sûr, et se piquant le nez[12] à son tour, mais gentiment, plein de mépris pour ces saloperies d'hommes tombés dans l'alcool, qu'on ne voit pas dessoûler! Il rentrait gai et galant comme un pinson*(24).

[Tant bien que mal, la vie s'écoule. Gervaise a pris chez elle sa belle-mère, la vieille « maman Coupeau », presque aveugle et infirme. Les affaires marchent encore et le ménage se passe aisément de la paie du zingueur.]

Trois années se passèrent. On se fâcha et on se raccommoda encore plusieurs fois. Gervaise se moquait pas mal

---

1. « Laisser sa santé, mourir » (Delvau); 2. *Se requinquer* : se remettre en état (pop.); 3. *Allumage* : griserie (pop.); 4. « La désinence *oche* est caractéristique de l'argot » (Delvau); 5. *Casser* : dépenser (pop.); 6. *Mannezingue* : cabaret de bas étage (le mot est dans Delvau); 7. Cf. p. 36, note 2; 8. *Tourniquet* : « jeu de hasard, qui consiste en un disque tournant, creux et vertical, autour duquel sont marqués des numéros, et dans lequel se meut une bille » (Larousse); 9. Son épouse (pop.); 10. C'est-à-dire boire (pop.); 11. *Zigue* : homme, compagnon (pop.); 12. *Se piquer le nez* : s'enivrer légèrement (pop.)

des Lorilleux, des Boche et de tous ceux qui ne disaient point comme elle. S'ils n'étaient pas contents, n'est-ce pas ? ils pouvaient aller s'asseoir[1]. Elle gagnait ce qu'elle voulait, c'était le principal. Dans le quartier, on avait fini par avoir pour elle beaucoup de considération, parce que, en somme, on ne trouvait pas des masses de pratiques aussi bonnes, payant recta[2], pas chipoteuse[3], pas râleuse[4]. Elle prenait son pain chez Mme Coudeloup, rue des Poissonniers, sa viande chez le gros Charles, un boucher de la rue Polonceau, son épicerie chez Lehongre, rue de la Goutte-d'Or, presque en face de sa boutique. François, le marchand de vin du coin de la rue, lui apportait son vin par paniers de cinquante litres. Le voisin Vigouroux [...] lui vendait son coke au prix de la Compagnie du gaz. Et, l'on pouvait le dire, ses fournisseurs la servaient en conscience, sachant bien qu'il y avait tout à gagner avec elle, en se montrant gentil. Aussi, quand elle sortait dans le quartier, en savates et en cheveux, recevait-elle des bonjours de tous les côtés ; elle restait là chez elle, les rues voisines étaient comme les dépendances naturelles de son logement, ouvert de plain-pied sur le trottoir. Il lui arrivait maintenant de faire traîner une commission, heureuse d'être dehors, au milieu de ses connaissances. Les jours où elle n'avait pas le temps de mettre quelque chose au feu, elle allait chercher des portions, elle bavardait chez le traiteur[5], qui occupait la boutique de l'autre côté de la maison, une vaste salle avec de grands vitrages poussiéreux, à travers la saleté desquels on apercevait le jour terni de la cour, au fond. Ou bien, elle s'arrêtait et causait, les mains chargées d'assiettes et de bols, devant quelque fenêtre du rez-de-chaussée, un intérieur de savetier entrevu, le lit défait, le plancher encombré de loques, de deux berceaux éclopés[6] et de la terrine à la poix[7] pleine d'eau noire. Mais le voisin qu'elle respectait le plus était encore, en face, l'horloger, le monsieur en redingote, l'air propre, fouillant continuellement les montres avec des outils mignons[8] ; et souvent elle traversait la rue pour le saluer, riant d'aise à

1. Expression populaire pour « envoyer promener » les gens ; 2. *Recta :* exactement (adaptation populaire du latin *recte*) ; 3. *Chipoter,* dans l'argot des boutiquiers, signifie, en parlant d'un client : faire le difficile, marchander ; 4. Même sens que chipoter : « qui proteste sur le prix ou la qualité » (Delvau) ; 5. *Traiteur :* commerçant qui donne à manger, ou plutôt qui vend des plats cuits, prêts à emporter ; 6. Se dit en parlant d'une personne : blessé ; 7. Le récipient de terre où le savetier met la poix noire (sorte de résine) qui lui sert pour son métier ; 8. Cf. p. 60, note 2.

regarder, dans la boutique étroite comme une armoire, la gaieté des petits coucous dont les balanciers se dépêchaient, battant l'heure à contre-temps, tous à la fois*(25).

VI

[Intermède : Gervaise, un après-midi, va rendre visite à son ami Goujet dans sa forge. Pour faire sa cour à la blanchisseuse, Goujet défie son compagnon Bec-Salé, dit Boit-sans-Soif, à une véritable performance technique : il s'agit de forger tout seul, à coups de marteau, des rivets de quarante millimètres. Puis, il l'emmène visiter l'usine et médite sur les machines.]

Ils se défiaient, allumés par la présence de Gervaise. Goujet mit au feu les bouts de fer coupés à l'avance; puis, il fixa sur une enclume une clouière[1] de fort calibre. Le camarade avait pris contre le mur deux masses[2] de vingt livres, les deux grandes sœurs de l'atelier, que les ouvriers nommaient Fifine et Dédèle. Et il continuait à crâner[3], il parlait d'une demi-grosse[4] de rivets qu'il avait forgés pour le phare de Dunkerque, des bijoux, des choses à placer dans un musée, tant c'était fignolé[5]. Sacristi, non! il ne craignait pas la concurrence; avant de rencontrer un cadet[6] comme lui, on pouvait fouiller toutes les boîtes[7] de la capitale. On allait rire, on allait voir ce qu'on allait voir.

« Madame jugera, dit-il en se tournant vers la jeune femme.

— Assez causé! cria Goujet. Zouzou[8], du nerf! Ça ne chauffe pas, mon garçon. »

Mais Bec-Salé, dit Boit-sans-Soif, demanda encore :

« Alors, nous frappons ensemble?

— Pas du tout! chacun son boulon, mon brave! »

La proposition jeta un froid, et du coup le camarade, malgré son bagou[9], resta sans salive. Des boulons de quarante millimètres établis par un seul homme, ça ne s'était

---

1. Ou *cloutière* : instrument permettant de façonner à la main les rivets et les clous; **2.** *Masse* : gros marteau; **3.** *Crâner :* faire le fier, manifester ses prétentions (fam.); **4.** Une *grosse* comprend douze douzaines d'unités; **5.** *Fignoler :* « achever avec soin, finir avec amour, dans l'argot des ouvriers et des artistes » (Delvau); **6.** *Cadet :* compagnon. C'est le terme dont se servaient couramment les ouvriers de cette époque (cf. Cadet-Cassis); **7.** La *boîte*, dans l'argot ouvrier, signifie encore l'atelier ou l'usine; **8.** Il s'agit du petit Étienne, un fils de Gervaise — le futur héros de *Germinal* —, que tout le monde surnomme ainsi à cause de ses cheveux coupés ras comme ceux d'un zouave. Il est préposé au soufflet de la forge; **9.** Cf. p. 50, note 2 et p. 57, note 4.

jamais vu; d'autant plus que les boulons devaient être à tête ronde, un ouvrage d'une fichue difficulté, un vrai chef-d'œuvre à faire. Les trois autres ouvriers de l'atelier avaient quitté leur travail pour voir; un grand sec pariait un litre que Goujet serait battu. Cependant, les deux forgerons prirent chacun une masse, les yeux fermés, parce que Fifine pesait une demi-livre de plus que Dédèle. Bec-Salé, dit Boit-sans-Soif, eut la chance de mettre la main sur Dédèle; la Gueule-d'Or tomba sur Fifine. Et, en attendant que le fer blanchît[1], le premier, redevenu crâne, posa devant l'enclume en roulant des yeux tendres du côté de la blanchisseuse; il se campait[2], tapait des appels du pied comme un monsieur qui va se battre, dessinait déjà le geste de balancer Dédèle à toute volée. Ah! tonnerre de Dieu! il était bon là; il aurait fait une galette de la colonne Vendôme[3]!

« Allons, commence! » dit Goujet, en plaçant lui-même dans la clouière un des morceaux de fer, de la grosseur d'un poignet de fille.

Bec-Salé, dit Boit-sans-Soif, se renversa, donna le branle à Dédèle, des deux mains. Petit, desséché, avec sa barbe de bouc et ses yeux de loup, luisant sous sa tignasse[4] mal peignée, il se cassait à chaque volée du marteau, sautait du sol comme emporté par son élan. C'était un rageur, qui se battait avec son fer, par embêtement de le trouver si dur; et même il poussait un grognement, quand il croyait lui avoir appliqué une claque soignée. Peut-être bien que l'eau-de-vie amollissait les bras des autres, mais lui avait besoin d'eau-de-vie dans les veines, au lieu de sang; la goutte de tout à l'heure lui chauffait la carcasse comme une chaudière, il se sentait une sacrée force de machine à vapeur. Aussi, le fer avait-il peur de lui, ce soir-là; il l'aplatissait plus mou qu'une chique[5]. Et Dédèle valsait, il fallait voir! Elle exécutait le grand entrechat[6], les petons[7] en l'air, comme une baladeuse[8] de l'Élysée-Montmartre, qui montre son linge;

---

1. Il faut qu'il soit chauffé *à blanc ;* **2.** *Se camper :* se mettre dans une attitude provocante; **3.** Fameuse colonne de bronze, faite de 1 200 canons pris à l'ennemi par Napoléon en 1805, haute de 44 mètres, qui se dresse à Paris sur la place du même nom; **4.** *Tignasse :* « chevelure abondante, épaisse, bien ou mal peignée, dans l'argot du peuple, pour qui ces chevelures-là sont autant de nids à *teignes* » (Delvau); **5.** *Chique :* morceau de tabac mâché; **6.** *Entrechat :* terme de danse. Le *grand entrechat* consiste à entrechoquer les pieds six ou huit fois pendant la durée d'un saut; **7.** *Petons :* pieds (fam. et enfantin); **8.** *Baladeuse :* « fille ou femme qui préfère l'oisiveté au travail » (Delvau). L'Élysée-Montmartre était un café-concert de Montmartre;

car il s'agissait de ne pas flâner, le fer est si canaille[1], qu'il se refroidit tout de suite, à la seule fin de se ficher du marteau. En trente coups, Bec-Salé, dit Boit-sans-Soif, avait façonné la tête de son boulon. Mais il soufflait, les yeux hors de leurs trous, et il était pris d'une colère furieuse en entendant ses bras craquer. Alors, emballé, dansant et gueulant, il allongea encore deux coups, uniquement pour se venger de sa peine. Lorsqu'il le retira de la clouière, le boulon, déformé, avait la tête mal plantée d'un bossu.

« Hein! est-ce torché[2]? dit-il tout de même avec son aplomb, en présentant son travail à Gervaise.

— Moi, je ne m'y connais pas, monsieur », répondit la blanchisseuse d'un air de réserve.

Mais elle voyait bien, sur le boulon, les deux derniers coups de talon de Dédèle, et elle était joliment contente, elle se pinçait les lèvres pour ne pas rire, parce que Goujet à présent avait toutes les chances.

C'était le tour de la Gueule-d'Or. Avant de commencer, il jeta à la blanchisseuse un regard plein d'une tendresse confiante. Puis, il ne se pressa pas, il prit sa distance, lança le marteau de haut, à grandes volées régulières. Il avait le jeu classique, correct, balancé et souple. Fifine, dans ses deux mains, ne dansait pas un chahut de bastringue[3], les guibolles[4] emportées par-dessus les jupes; elle s'enlevait, retombait en cadence, comme une dame noble, l'air sérieux, conduisant quelque menuet[5] ancien. Les talons de Fifine tapaient la mesure, gravement; et ils s'enfonçaient dans le fer rouge, sur la tête du boulon, avec une science réfléchie, d'abord écrasant le métal au milieu, puis le modelant par une série de coups d'une précision rythmée. Bien sûr, ce n'était pas de l'eau-de-vie que la Gueule-d'Or avait dans les veines, c'était du sang, du sang pur, qui battait puissamment jusque dans son marteau, et qui réglait la besogne. Un homme magnifique au travail, ce gaillard-là! Il recevait en plein la grande flamme de la forge. Ses cheveux courts, frisant sur son front bas, sa belle barbe jaune, aux anneaux tombants, s'allumaient, lui éclairaient toute la figure de leurs fils d'or, une vraie figure d'or, sans mentir. Avec ça,

---

1. *Canaille*: ici rusé, malicieux; 2. *Torché*: bien fait (pop.); 3. Le *chahut* est une danse dévergondée comme on en voit dans les bals mal famés. — *Bastringue*: « guinguette de barrière, où le populaire va boire et danser les dimanches et les lundis » (Delvau); 4. Cf. p. 62, note 9; 5. *Menuet*: danse classique et cérémonieuse, en vogue surtout au XVIIIe siècle.

un cou pareil à une colonne, blanc comme un cou d'enfant; une poitrine vaste, large à y coucher une femme en travers; des épaules et des bras sculptés qui paraissaient copiés sur ceux d'un géant, dans un musée. Quand il prenait son élan, on voyait ses muscles se gonfler, des montagnes de chair roulant et durcissant sous la peau; ses épaules, sa poitrine, son cou enflaient; il faisait de la clarté autour de lui, il devenait beau, tout-puissant, comme un bon Dieu. Vingt fois déjà, il avait abattu Fifine, les yeux sur le fer, respirant à chaque coup, ayant seulement à ses tempes deux grosses gouttes de sueur qui coulaient. Il comptait : vingt et un, vingt-deux, vingt-trois. Fifine continuait tranquillement ses révérences de grande dame*(26).

« Quel poseur! » murmura en ricanant Bec-Salé, dit Boit-sans-Soif. [...]

Goujet comptait toujours.

« Et vingt-huit! cria-t-il enfin, en posant le marteau à terre. C'est fait, vous pouvez voir. »

La tête du boulon était polie, nette, sans une bavure, un vrai travail de bijouterie, une rondeur de bille faite au moule. Les ouvriers la regardèrent en hochant le menton; il n'y avait pas à dire, c'était à se mettre à genoux devant. Bec-Salé, dit Boit-sans-Soif, essaya bien de blaguer; mais il barbota[1], il finit par retourner à son enclume, le nez pincé. Cependant, Gervaise s'était serrée contre Goujet, comme pour mieux voir. Étienne avait lâché le soufflet, la forge de nouveau s'emplissait d'ombre, d'un coucher d'astre rouge, qui tombait tout d'un coup à une grande nuit. Et le forgeron et la blanchisseuse éprouvaient une douceur en sentant cette nuit les envelopper, dans ce hangar noir de suie et de limaille[2], où des odeurs de vieux fers montaient; ils ne se seraient pas crus plus seuls dans le bois de Vincennes, s'ils s'étaient donné un rendez-vous au fond d'un trou d'herbe. Il lui prit la main comme s'il l'avait conquise[3].

Puis, dehors, ils n'échangèrent pas un mot. Il ne trouva rien; il dit seulement qu'elle aurait pu emmener Étienne, s'il n'y avait pas eu encore une demi-heure de travail. Elle s'en

1. *Barboter* : parler avec embarras, comme un canard qui barbote dans la boue (fam.); 2. *Limaille* : parcelles de métal enlevées par la *lime*; 3. Dans une nouvelle écrite vers 1866 et recueillie dans les *Nouveaux Contes à Ninon*, *le Forgeron*, dont Zola s'est souvenu pour créer le personnage de Goujet, on lit cette phrase, qui en est la conclusion : « C'est là, dans la forge, au milieu des charrues, que j'ai guéri à jamais mon mal de paresse et de doute. »

allait enfin, quand il la rappela, cherchant à la garder quelques minutes de plus*(27).

« Venez donc, vous n'avez pas tout vu... Non, vrai, c'est très curieux. »

Il la conduisit à droite, dans un autre hangar, où son patron installait toute une fabrication mécanique. Sur le seuil, elle hésita, prise d'une peur instinctive. La vaste salle, secouée par les machines, tremblait; et de grandes ombres flottaient, tachées de feux rouges. Mais lui la rassura en souriant, jura qu'il n'y avait rien à craindre; elle devait seulement avoir bien soin de ne pas laisser traîner ses jupes trop près des engrenages. Il marcha le premier, elle le suivit, dans ce vacarme assourdissant où toutes sortes de bruits sifflaient et ronflaient, au milieu de ces fumées peuplées d'êtres vagues, des hommes noirs affairés, des machines agitant leurs bras, qu'elle ne distinguait pas les unes des autres. Les passages étaient très étroits, il fallait enjamber des obstacles, éviter des trous, se ranger pour se garer d'un chariot. On ne s'entendait pas parler. Elle ne voyait rien encore, tout dansait. Puis, comme elle éprouvait au-dessus de sa tête la sensation d'un grand frôlement d'ailes, elle leva les yeux, elle s'arrêta à regarder les courroies, les longs rubans qui tendaient au plafond une gigantesque toile d'araignée, dont chaque fil se dévidait sans fin; le moteur à vapeur se cachait dans un coin, derrière un petit mur de briques; les courroies semblaient filer toutes seules, apporter le branle du fond de l'ombre, avec leur glissement continu, régulier, doux comme le vol d'un oiseau de nuit. Mais elle faillit tomber, en se heurtant à un des tuyaux du ventilateur[1], qui se ramifiait sur le sol battu, distribuant son souffle de vent aigre aux petites forges, près des machines. Et il commença par lui faire voir ça, il lâcha le vent sur un fourneau; de larges flammes s'étalèrent des quatre côtés en éventail, une collerette[2] de feu dentelée, éblouissante, à peine teintée d'une pointe de laque[3]; la lumière était si vive, que les petites lampes des ouvriers paraissaient des gouttes d'ombre dans du soleil. Ensuite, il haussa la voix pour donner des explications, il passa aux machines : les cisailles mécaniques qui mangeaient des barres de fer, croquant un bout à chaque

---

1. *Ventilateur :* soufflerie qui active la circulation d'air nécessaire à la forge;
2. Comparaison avec ces petits collets de linge blanc que portent les dames;
3. D'un rouge-brun, couleur de la *laque* d'Extrême-Orient.

coup de dents, crachant les bouts par derrière, un à un; les machines à boulons et à rivets, hautes, compliquées, forgeant les têtes d'une seule pesée de leur vis puissante; les ébarbeuses[1], au volant de fonte, une boule de fonte qui battait l'air furieusement à chaque pièce dont elles enlevaient les bavures; les taraudeuses[2], manœuvrées par des femmes, taraudant les boulons et leurs écrous, avec le tic-tac de leurs rouages d'acier luisant sous la graisse des huiles. Elle pouvait suivre ainsi tout le travail, depuis le fer en barre, dressé contre les murs, jusqu'aux boulons et aux rivets fabriqués, dont des caisses pleines encombraient les coins. Alors, elle comprit, elle eut un sourire en hochant le menton; mais elle restait tout de même un peu serrée à la gorge, inquiète d'être si petite et si tendre parmi ces rudes travailleurs de métal, se retournant parfois, les sangs glacés, au coup sourd d'une ébarbeuse. Elle s'accoutumait à l'ombre, voyait des enfoncements où des hommes immobiles réglaient la danse haletante des volants, quand un fourneau lâchait brusquement le coup de lumière de sa collerette de flamme. Et, malgré elle, c'était toujours au plafond qu'elle revenait, à la vie, au sang même des machines, au vol souple des courroies, dont elle regardait, les yeux levés, la force énorme et muette passer dans la nuit vague des charpentes*(28).

Cependant, Goujet s'était arrêté devant une des machines à rivets. Il restait là, songeur, la tête basse, les regards fixes. La machine forgeait des rivets de quarante millimètres, avec une aisance tranquille de géante. Et rien n'était plus simple en vérité. Le chauffeur[3] prenait le bout de fer dans le fourneau; le frappeur[4] le plaçait dans la clouière, qu'un filet d'eau continu arrosait pour éviter d'en détremper l'acier; et c'était fait, la vis s'abaissait, le boulon sautait à terre, avec sa tête ronde comme coulée au moule. En douze heures, cette sacrée mécanique en fabriquait des centaines de kilogrammes. Goujet n'avait pas de méchanceté; mais, à certains moments, il aurait volontiers pris Fifine pour taper dans toute cette ferraille, par colère de lui voir des bras plus solides que les siens. Ça lui causait un gros chagrin, même quand il se raisonnait, en se disant que la chair ne pouvait

---

1. *Ébarbeuse* : machine à ébarber, à enlever les *barbes* ou bavures du métal;
2. *Taraudeuse* : machines à *tarauder*, à imprimer le pas de vis des écrous;
3. *Chauffeur* : ouvrier chargé de chauffer le fourneau; 4. *Frappeur* : ouvrier forgeron qui tient le marteau; l'emploi de la machine lui fait ici changer d'office.

pas lutter contre le fer. Un jour, bien sûr, la machine tuerait l'ouvrier ; déjà leurs journées étaient tombées de douze francs à neuf francs, et on parlait de les diminuer encore ; enfin, elles n'avaient rien de gai, ces grosses bêtes, qui faisaient des rivets et des boulons comme elles auraient fait de la saucisse. Il regarda celle-là trois bonnes minutes sans rien dire ; ses sourcils se fronçaient, sa belle barbe jaune avait un hérissement de menace. Puis, un air de douceur et de résignation amollit peu à peu ses traits. Il se tourna vers Gervaise qui se serrait contre lui, il dit avec un sourire triste :

« Hein ! ça nous dégotte[1] joliment ! Mais peut-être que plus tard ça servira au bonheur de tous[2]. »

Gervaise se moquait du bonheur de tous. Elle trouva les boulons à la mécanique mal faits.

« Vous me comprenez, s'écria-t-elle avec feu, ils sont trop bien faits... J'aime mieux les vôtres. On sent la main d'un artiste, au moins*(29). »

[Cependant, certains signes de malheur se manifestent : embarras d'argent, rencontres inquiétantes, nouvelles de Lantier, indulgences paresseuses de Gervaise, et surtout l'ivrognerie aggravée de Coupeau, passé du vin à l'eau-de-vie, dont une brute alcoolique, Bijard, préfigure la prochaine déchéance.]

VII

[Il y aura encore une belle journée : la fête de Gervaise, le 19 juin. Les parents et les voisins y ont été conviés. Ils sont quatorze à festoyer dans la boutique. Le potage, le bœuf, la blanquette, l'épinée de cochon, les légumes, dix litres de vin ont été avalés, et enfin le clou du repas apparaît : une oie rôtie. La ripaille se poursuit dans un tumulte de rires et de cris. Chacun pousse sa chanson, la bacchanale déferle jusque dans la rue, tout le quartier y participe, et c'est dans l'indulgence générale que Lantier, le premier amant de Gervaise, attiré par tout ce qu'il y a de bon à manger et profitant de l'ivresse sentimentale de Coupeau, vient s'asseoir à la table et fait ainsi sa rentrée, après sept ans d'absence, dans l'existence de la jeune femme.]

---

1. C'est-à-dire l'emporte sur nous (pop.) ; **2.** Zola écrivait dans *la Vie littéraire*, 22 février 1877 : « *Goujet, dans mon plan, est l'ouvrier parfait, propre, économe, honnête, adorant sa mère, ne manquant pas une journée, restant grand et pur jusqu'au bout ! ... Et l'avouerai-je même, je crains bien d'avoir un peu menti avec Goujet, car je lui ai prêté des sentiments qui ne sont pas de son milieu. Il y a là, pour moi, un scrupule de conscience.* »

VIII

[Depuis ce fameux jour, Lantier prend pension chez les Coupeau. Gervaise travaille pour nourrir tout le monde. Mais, dans l'oisiveté et tous ses désordres, la blanchisserie périclite irrémédiablement. Poussé par Lantier, Coupeau s'enfonce de plus en plus dans l'alcool. Gervaise elle-même se dégrade, et son travail s'en ressent. La scène suivante, entre la blanchisseuse et Mme Goujet, montre comment les qualités professionnelles se détériorent sous l'effet des désordres moraux.]

IX

« Ah c'est vous enfin! lui dit sèchement Mme Goujet, en lui ouvrant la porte. Quand j'aurais besoin de la mort, je vous l'enverrai chercher. »

Gervaise entra, embarrassée, sans oser même balbutier une excuse. Elle n'était plus exacte, ne venait jamais à l'heure, se faisait attendre des huit jours. Peu à peu, elle s'abandonnait à un grand désordre.

« Voilà une semaine que je compte sur vous, continua la dentellière. Et vous mentez avec ça, vous m'envoyez votre apprentie me raconter des histoires : on est après mon linge, on va me le livrer le soir même, ou bien, c'est un accident, le paquet qui est tombé dans un seau. Moi, pendant ce temps-là, je perds ma journée, je ne vois rien arriver et je me tourne l'esprit. Non, vous n'êtes pas raisonnable... Voyons, qu'est-ce que vous avez, dans ce panier! Est-ce tout, au moins! M'apportez-vous la paire de draps que vous me gardez depuis un mois, et la chemise qui est restée en arrière, au dernier blanchissage?

— Oui, oui, murmura Gervaise, la chemise y est, la voici. »

Mais Mme Goujet se récria. Cette chemise n'était pas à elle, elle n'en voulait pas. On lui changeait son linge, c'était le comble! Déjà, l'autre semaine, elle avait eu deux mouchoirs qui ne portaient pas sa marque. Ça ne la ragoû-tait[1] guère, du linge venu elle ne savait d'où. Puis, enfin, elle tenait à ses affaires.

« Et les draps? reprit-elle. Ils sont perdus, n'est-ce pas?... Eh bien! ma petite, il faudra vous arranger, mais je les veux quand même demain matin, entendez-vous. »

---

1. *Ragoûter* : mettre en appétit (ce mot familier ne s'emploie guère que négativement).

Il y eut un silence. Ce qui achevait de troubler Gervaise, c'était de sentir, derrière elle, la porte de la chambre de Goujet entr'ouverte. Le forgeron devait être là, elle le devinait; et quel ennui, s'il écoutait tous ces reproches mérités, auxquels elle ne pouvait rien répondre! Elle se faisait très souple, très douce, courbant la tête, posant le linge sur le lit le plus vivement possible. Mais ça se gâta encore, quand Mme Goujet se mit à examiner les pièces une à une. Elle les prenait, les rejetait, en disant :

« Ah! vous perdez joliment la main[1]. On ne peut plus vous faire des compliments tous les jours... Oui, vous salopez[2], vous cochonnez[3] l'ouvrage, à cette heure... Tenez, regardez-moi ce devant de chemise, il est brûlé, le fer a marqué sur les plis. Et les boutons, ils sont tous arrachés. Je ne sais pas comment vous vous arrangez, il ne reste jamais un bouton... Oh! par exemple, voilà une camisole[4] que je ne vous paierai pas. Voyez donc ça? La crasse y est, vous l'avez étalée simplement. Merci! si le linge n'est même plus propre...★(30). »

Elle s'arrêta, comptant les pièces. Puis elle s'écria :

« Comment! c'est ce que vous apportez?... Il manque deux paires de bas, six serviettes, une nappe, des torchons... Vous vous moquez de moi, alors! Je vous ai fait dire de tout me rendre, repassé ou non. Si dans une heure votre apprentie n'est pas ici avec le reste, nous nous fâcherons, madame Coupeau, je vous en préviens. »

A ce moment, Goujet toussa dans sa chambre. Gervaise eut un léger tressaillement. Comme on la traitait devant lui, mon Dieu! Et elle resta au milieu de la chambre, gênée, confuse, attendant le linge sale. Mais, après avoir arrêté le compte, Mme Goujet avait tranquillement repris sa place près de la fenêtre, travaillant au raccommodage d'un châle de dentelle.

« Et le linge? demanda timidement la blanchisseuse.

— Non, merci, répondit la vieille femme, il n'y a rien cette semaine. »

Gervaise pâlit. On lui retirait la pratique[5]. Alors, elle perdit complètement la tête, elle dut s'asseoir sur une

---

1. *Perdre la main* est une expression de métier : n'avoir plus la main habile à faire un certain travail; 2. *Saloper :* faire un ouvrage sans s'appliquer (pop.) [cf. *sale, salaud* ou *salop*]; 3. *Cochonner :* même sens que le précédent : « Travailler sans soin, malproprement » (Delvau); 4. Cf. p. 38, note 3; 5. *Pratique :* clientèle.

chaise, parce que ses jambes s'en allaient sous elle★(**31**). [...]

Elle referma la porte lentement, avec un dernier coup d'œil dans ce ménage propre, rangé, où il lui semblait laisser quelque chose de son honnêteté. Elle revint à la boutique de l'air bête des vaches qui rentrent chez elles, sans s'inquiéter du chemin. Maman Coupeau, sur une chaise, près de la mécanique[1], quittait son lit pour la première fois. Mais la blanchisseuse ne lui fit pas même un reproche; elle était trop fatiguée, les os malades comme si on l'avait battue; elle pensait que la vie était trop dure à la fin, et qu'à moins de crever tout de suite, on ne pouvait pourtant pas s'arracher le cœur soi-même.

Maintenant, Gervaise se moquait de tout. Elle avait un geste vague de la main pour envoyer coucher le monde. A chaque nouvel ennui, elle s'enfonçait dans le seul plaisir de faire ses trois repas par jour. La boutique aurait pu crouler; pourvu qu'elle ne fût pas dessous, elle s'en serait allée volontiers, sans une chemise. Et la boutique croulait, pas tout d'un coup, mais un peu matin et soir. Une à une, les pratiques se fâchaient et portaient leur linge ailleurs. M. Madinier, Mlle Remanjou, les Boche eux-mêmes, étaient retournés chez Mme Fauconnier, où ils trouvaient plus d'exactitude. On finit par se lasser de réclamer une paire de bas pendant trois semaines et de remettre des chemises avec les taches de graisse de l'autre dimanche. Gervaise, sans perdre un coup de dent, leur criait bon voyage, les arrangeait d'une propre manière, en se disant joliment contente de ne plus avoir à fouiller dans leur infection. Ah bien! tout le quartier pouvait la lâcher, ça la débarrasserait d'un beau tas d'ordures; puis, ce serait toujours de l'ouvrage de moins. En attendant, elle gardait seulement les mauvaises payes, les rouleuses[2], les femmes comme Mme Gaudron, dont pas une blanchisseuse de la rue Neuve ne voulait laver le linge, tant il puait. La boutique était perdue, elle avait dû renvoyer sa dernière ouvrière, Mme Putois; elle restait seule avec son apprentie, ce louchon[3] d'Augustine, qui bêtissait[4] en grandissant; et encore, à elle deux, elles n'avaient pas toujours de l'ouvrage, elles traînaient leur derrière sur les

---

1. *Mécanique* : « un poêle chauffé au coke avec un appareil pour faire chauffer les fers » (notes de travail d'Émile Zola); **2.** *Rouleuses* : femmes peu sérieuses; **3.** Cf. p. 61, note 2; **4.** *Bêtir* : devenir de plus en plus bête (pop.).

tabourets durant des après-midi entières. Enfin, un plongeon complet. Ça sentait la ruine.

Naturellement, à mesure que la paresse et la misère entraient, la malpropreté entrait aussi. On n'aurait pas reconnu cette belle boutique bleue, couleur du ciel, qui était jadis l'orgueil de Gervaise. Les boiseries et les carreaux de la vitrine, qu'on oubliait de laver, restaient du haut en bas éclaboussés par la crotte des voitures. Sur les planches, à la tringle de laiton, s'étalaient trois guenilles grises, laissées par des clientes mortes à l'hôpital. Et c'était plus minable[1] encore à l'intérieur : l'humidité des linges séchant au plafond avait décollé le papier; la perse pompadour[2] étalait des lambeaux qui pendaient pareils à des toiles d'araignée lourdes de poussière; la mécanique, cassée, trouée à coups de tisonnier, mettait dans son coin les débris de vieille fonte d'un marchand de bric-à-brac; l'établi semblait avoir servi de table à toute une garnison, taché de café et de vin, emplâtré de confiture, gras des lichades[3] du lundi. Avec ça, une odeur d'amidon[4] aigre, une puanteur faite de moisi, de graillon et de crasse. Mais Gervaise se trouvait très bien là dedans★(**32**). Elle n'avait pas vu la boutique se salir; elle s'y abandonnait et s'habituait au papier déchiré, aux boiseries graisseuses, comme elle en arrivait à porter des jupes fendues et à ne plus se laver les oreilles. Même la saleté était un nid chaud où elle jouissait de s'accroupir. Laisser les choses à la débandade, attendre que la poussière bouchât les trous et mît un velours partout, sentir la maison s'alourdir autour de soi dans un engourdissement de fainéantise, cela était une vraie volupté dont elle se grisait. Sa tranquillité d'abord; le reste, elle s'en battait l'œil[5]. Ses dettes, toujours croissantes pourtant, ne la tourmentaient plus. Elle perdait de sa probité; on paierait ou on ne paierait pas, la chose restait vague, et elle préférait ne pas savoir. Quand on lui fermait un crédit dans une maison, elle en ouvrait un autre dans la maison d'à côté. Elle brûlait[6] le quartier, elle avait des poufs[7] tous

---

1. *Minable* : sale, désolant, lamentable (pop.); **2.** *Perse Pompadour* : espèce de toile peinte, primitivement fabriquée en Perse, adaptée au style mis en honneur par la Pompadour; **3.** *Lichade* : bon petit repas (de *licher*, var. pop. de *lécher*); **4.** *Amidon* : produit à base de fécule, dont les blanchisseuses se servent pour « apprêter » le linge; **5.** « Se moquer d'une chose » (Delvau); **6.** Elle épuisait tout le crédit qu'elle pouvait avoir dans le quartier. *Être brûlé* : « n'inspirer plus aucune confiance dans les endroits où l'on était bien reçu » (Delvau); **7.** *Pouf* : «dette qu'on ne paye pas, crédit qu'on demande et auquel on ne fait pas honneur » (Delvau).

les dix pas. Rien que dans la rue de la Goutte-d'Or, elle n'osait plus passer devant le charbonnier, ni devant l'épicier, ni devant la fruitière; ce qui lui faisait faire le tour par la rue des Poissonniers, quand elle allait au lavoir, une trotte de dix bonnes minutes. Les fournisseurs venaient la traiter de coquine. Un soir, l'homme qui avait vendu les meubles de Lantier, ameuta les voisins. [...] Bien sûr, de pareilles scènes la laissaient tremblante; seulement, elle se secouait comme un chien battu, et c'était fini, elle n'en dînait pas plus mal, le soir. En voilà des insolents qui l'embêtaient! elle n'avait point d'argent, elle ne pouvait pas en fabriquer, peut-être! Puis, les marchands volaient assez, ils étaient faits pour attendre. Et elle se rendormait dans son trou, en évitant de songer à ce qui arriverait forcément un jour. Elle ferait le saut[1], parbleu! mais, jusque-là, elle entendait ne pas être taquinée*(33).[...]

Au milieu de ce démolissement général, Coupeau prospérait. Ce sacré soiffard se portait comme un charme. Le pichenet[2] et le vitriol[3] l'engraissaient, positivement. Il mangeait beaucoup, se fichait de cet efflanqué de Lorilleux qui accusait la boisson de tuer les gens, lui répondait en se tapant sur le ventre, la peau tendue par la graisse, pareille à la peau d'un tambour. Il lui exécutait là-dessus une musique, les vêpres de la gueule[4], des roulements et des battements de grosse caisse à faire la fortune d'un arracheur de dents. Mais Lorilleux, vexé de ne pas avoir de ventre, disait que c'était de la graisse jaune, de la mauvaise graisse. N'importe, Coupeau se soûlait davantage, pour sa santé. Ses cheveux poivre et sel, en coup de vent, flambaient comme un brûlot[5]. Sa face d'ivrogne, avec sa mâchoire de singe, se culottait[6], prenait des tons de vin bleu. Et il restait un enfant de la gaieté; il bousculait sa femme, quand elle s'avisait de lui conter ses embarras. Est-ce que les hommes sont faits pour descendre dans ces embêtements*(34)?

[Mangée par les deux hommes, la boutique va à la ruine. Lantier propose tout de suite de la céder aux Poisson, sur lesquels il a des

1. *Faire le saut*, c'est dépasser la limite, se déshonorer, se ruiner, mourir...; 2. Petit vin de barrière (Delvau et *le Sublime*). C'est une variante de piccolet, piqueton, piquette . petit vin de pays; 3. Cf. p. 35, note 7; 4. Cette image populaire désigne des éructations bien sonores; 5. *Brûlot :* mélange de sucre et d'eau-de-vie qu'on fait brûler; 6. « Avoir, par suite d'excès de tous genres, le visage d'un rouge brique, comme cuit au feu des passions » (Delvau).

visées. Gervaise résiste un moment, mais la mort de la maman Coupeau précipite la liquidation. Voici la scène de l'enterrement.]

Enfin, dix heures sonnèrent. Le corbillard était en retard. Il y avait déjà du monde dans la boutique, des amis et des voisins, M. Madinier, Mes-Bottes, Mme Gaudron, Mlle Remanjou[1]; et, toutes les minutes, entre les volets fermés, par l'ouverture béante de la porte, une tête d'homme ou de femme s'allongeait, pour voir si ce lambin de corbillard n'arrivait pas. La famille, réunie dans la pièce du fond, donnait des poignées de mains. De courts silences se faisaient, coupés de chuchotements rapides, une attente agacée et fiévreuse, avec des courses brusques de robes, Mme Lorilleux qui avait oublié son mouchoir, ou bien Mme Lerat qui cherchait un paroissien à emprunter. Chacun, en arrivant, apercevait au milieu du cabinet, devant le lit, la bière ouverte; et, malgré soi, chacun restait à l'étudier du coin de l'œil, calculant que jamais la grosse maman Coupeau ne tiendrait là-dedans. Tout le monde se regardait, avec cette pensée dans les yeux, sans se la communiquer. Mais, il y eut une poussée à la porte de la rue. M. Madinier vint annoncer d'une voix grave et contenue, en arrondissant les bras :

« Les voici ! »

Ce n'était pas encore le corbillard. Quatre croque-morts entrèrent à la file, d'un pas pressé, avec leurs faces rouges et leurs mains gourdes de déménageurs, dans le noir pisseux de leurs vêtements, usés et blanchis au frottement des bières. Le père Bazouge marchait le premier, très soûl et très convenable; dès qu'il était à la besogne, il retrouvait son aplomb. Ils ne prononcèrent pas un mot, la tête un peu basse, pesant déjà maman Coupeau du regard. Et ça ne traîna pas, la pauvre vieille fut emballée, le temps d'éternuer. Le plus petit, un jeune qui louchait, avait vidé le son dans le cercueil, et l'étalait en le pétrissant, comme s'il voulait faire du pain. Un autre, un grand maigre celui-là, l'air farceur, venait d'étendre le drap par-dessus. Puis, une, deux, allez-y ! tous les quatre saisirent le corps, l'enlevèrent, deux aux pieds, deux à la tête. On ne retourne pas plus vite une crêpe. Les gens qui allongeaient le cou purent croire que maman Coupeau était sautée d'elle-même dans la boîte. Elle avait glissé là comme chez elle, oh ! tout juste, si juste, qu'on avait

---

1. Ce sont les personnages qu'on a déjà rencontrés au chap. III.

entendu son frôlement contre le bois neuf. Elle touchait de tous les côtés, un vrai tableau dans un cadre. Mais enfin, elle y tenait, ce qui étonna les assistants; bien sûr, elle avait dû diminuer depuis la veille. Cependant les croquemorts s'étaient relevés et attendaient; le petit louche prit le couvercle, pour inviter la famille à faire les derniers adieux; tandis que Bazouge mettait des clous dans sa bouche et apprêtait le marteau. Alors, Coupeau, ses deux sœurs, Gervaise, d'autres encore, se jetèrent à genoux, embrassèrent la maman qui s'en allait, avec de grosses larmes, dont les gouttes chaudes tombaient et roulaient sur ce visage raidi, froid comme une glace. Il y avait un bruit prolongé de sanglots. Le couvercle s'abattit, le père Bazouge enfonça ses clous avec le chic d'un emballeur, deux coups pour chaque pointe; et personne ne s'écouta pleurer davantage dans ce vacarme de meuble qu'on répare. C'était fini. On partait*(35).

« S'il est possible de faire tant d'esbrouffe[1] dans un moment pareil! » dit Mme Lorilleux à son mari, en apercevant le corbillard devant la porte.

Le corbillard révolutionnait le quartier. La tripière appelait les garçons de l'épicier, le petit horloger était sorti sur le trottoir, les voisins se penchaient aux fenêtres. Et tout ce monde causait du lambrequin[2] à franges de coton blanches. Ah! les Coupeau auraient mieux fait de payer leurs dettes! Mais, comme le déclaraient les Lorilleux, lorsqu'on a de l'orgueil, ça sort partout et quand même*(36).

« C'est honteux! répétait au même instant Gervaise, en parlant du chaîniste et de sa femme. Dire que ces rapiats[3] n'ont pas même apporté un bouquet de violettes pour leur mère! »

Les Lorilleux, en effet, étaient venus les mains vides. Mme Lerat avait donné une couronne de fleurs artificielles. Et l'on mit encore sur la bière une couronne d'immortelles et un bouquet achetés par les Coupeau. Les croque-morts avaient dû donner un fameux coup d'épaule pour hisser et charger le corps. Le cortège fut lent à s'organiser. Coupeau et Lorilleux, en redingote, le chapeau à la main, conduisaient le deuil; le premier, dans son attendrissement que

1. *Esbrouffe* : « embarras, manières, vantardise » (Delvau); 2. *Lambrequin* : ornement qui couronne le sommet du corbillard; 3. *Rapiat* : avare (mot pop. et dialectal).

deux verres de vin blanc, le matin, avaient entretenu, se tenait au bras de son beau-frère, les jambes molles et les cheveux malades[1]. Puis marchaient les hommes, M. Madinier, très grave, tout en noir, Mes-Bottes, un paletot sur sa blouse, Boche, dont le pantalon jaune fichait un pétard[2], Lantier, Gaudron, Bibi-la-Grillade, Poisson, d'autres encore. Les dames arrivaient ensuite, au premier rang Mᵐᵉ Lorilleux qui traînait la jupe retapée[3] de la morte, Mᵐᵉ Lerat cachant sous un châle son deuil improvisé, un caraco[4] garni de lilas, et à la file Virginie, Mᵐᵉ Gaudron, Mᵐᵉ Fauconnier, Mˡˡᵉ Remanjou, tout le reste de la queue. Quand le corbillard s'ébranla et descendit lentement la rue de la Goutte-d'Or, au milieu des signes de croix et des coups de chapeau, les quatre croque-morts prirent la tête, deux en avant, les deux autres à droite et à gauche. Gervaise était restée pour fermer la boutique. Elle confia Nana à Mᵐᵉ Boche, et elle rejoignit le convoi en courant, pendant que la petite, tenue par la concierge, sous le porche, regardait d'un œil profondément intéressé sa grand-mère disparaître au fond de la rue, dans cette belle voiture.

Juste au moment où la blanchisseuse essoufflée rattrapait la queue, Goujet arrivait de son côté. Il se mit avec les hommes; mais il se retourna, et la salua d'un signe de tête, si doucement, qu'elle se sentit tout d'un coup très malheureuse et qu'elle fut reprise par les larmes. Elle ne pleurait plus seulement maman Coupeau, elle pleurait quelque chose d'abominable, qu'elle n'aurait pas pu dire, et qui l'étouffait*(37). Durant tout le trajet, elle tint son mouchoir appuyé contre ses yeux. Mᵐᵉ Lorilleux, les joues sèches et enflammées, la regardait de côté, en ayant l'air de l'accuser de faire du genre.

A l'église, la cérémonie fut vite bâclée[5]. La messe traîna pourtant un peu, parce que le prêtre était très vieux. Mes-Bottes et Bibi-la-Grillade avaient préféré rester dehors, à cause de la quête. M. Madinier, tout le temps, étudia les curés, et il communiquait à Lantier ses observations : ces farceurs-là, en crachant leur latin, ne savaient seulement pas ce qu'ils dégoisaient[6] ; ils vous enterraient une personne

---

1. *Avoir mal aux cheveux* est une expression populaire signifiant « avoir la tête lourde, un lendemain d'ivresse » ; 2. C'est-à-dire faisait de l'effet, mettait une tache éclatante (pop.) ; 3. *Retapée* : remise à neuf (fam.) ; 4. *Caraco* : vêtement de femme en forme de blouse ; 5. Cf. p. 51, note 3 ; 6. *Dégoiser* : parler (pop.) ; ou même ici peut-être *chanter*, dans le sens du moyen âge (rad. *gosier*).

comme ils vous l'auraient baptisée ou mariée, sans avoir dans le cœur le moindre sentiment. Puis, M. Madinier blâma ce tas de cérémonies, ces lumières, ces voix tristes, cet étalage devant les familles. Vrai, on perdait les siens deux fois, chez soi et à l'église. Et tous les hommes lui donnaient raison, car ce fut encore un moment pénible, lorsque, la messe finie, il y eut un barbottement[1] de prières, et que les assistants durent défiler devant le corps, en jetant de l'eau bénite. Heureusement, le cimetière n'était pas loin, le petit cimetière de la Chapelle, un bout de jardin qui s'ouvrait sur la rue Marcadet. Le cortège y arriva débandé, tapant les pieds, chacun causant de ses affaires. La terre dure sonnait, on aurait volontiers battu la semelle. Le trou béant, près duquel on avait posé la bière, était déjà tout gelé, blafard et pierreux comme une carrière à plâtre; et les assistants, rangés autour des monticules de gravats, ne trouvaient pas drôle d'attendre par un froid pareil, embêtés aussi de regarder le trou. Enfin, un prêtre en surplis[2] sortit d'une maisonnette, il grelottait, on voyait son haleine fumer, à chaque « de profundis[3] » qu'il lâchait. Au dernier signe de croix, il se sauva, sans avoir envie de recommencer. Le fossoyeur prit sa pelle; mais, à cause de la gelée, il ne détachait que de grosses mottes, qui battaient une jolie musique là-bas au fond, un vrai bombardement sur le cercueil, une enfilade de coups de canon à croire que le bois se fendait. On a beau être égoïste, cette musique-là vous casse l'estomac. Les larmes recommencèrent. On s'en allait, on était dehors, qu'on entendait encore les détonations. Mes-Bottes, soufflant dans ses doigts, fit tout haut une remarque : Ah! tonnerre de Dieu! non! la pauvre maman Coupeau n'allait pas avoir chaud★(**38**)!

« Mesdames et la compagnie, dit le zingueur aux quelques amis restés dans la rue avec la famille, si vous voulez bien nous permettre de vous offrir quelque chose... »

Et il entra le premier chez un marchand de vin de la rue Marcadet, *A la descente du cimetière*. Gervaise, demeurée sur le trottoir, appela Goujet qui s'éloignait, après l'avoir saluée d'un nouveau signe de tête. Pourquoi n'acceptait-il pas un

---

  1. *Barboter* : signifie au sens propre « s'agiter dans l'eau »; mais Mathurin Régnier l'emploie déjà au figuré dans une construction transitive (« barboter une excuse »), au sens de « marmotter »; **2.** Cf. p. 43, note 3; **3.** *De profundis* : début d'un psaume qu'on dit dans les prières pour les morts.

verre de vin? Mais il était pressé, il retournait à l'atelier.
Alors, ils se regardèrent un moment sans rien dire.

« Je vous demande pardon pour les soixante francs, murmura enfin la blanchisseuse. J'étais comme une folle, j'ai
songé à vous...

— Oh! il n'y a pas de quoi, vous êtes pardonnée, interrompit le forgeron. Et, vous savez, tout à votre service, s'il
vous arrivait un malheur... Mais n'en dites rien à maman,
parce qu'elle a ses idées, et que je ne veux pas la contrarier. »

Elle le regardait toujours; et, en le voyant si bon, si triste,
avec sa belle barbe jaune, elle fut sur le point d'accepter
son ancienne proposition, de s'en aller avec lui, pour être
heureux ensemble quelque part. Puis, il lui vint une autre
mauvaise pensée, celle de lui emprunter ses deux termes, à
n'importe quel prix. Elle tremblait, elle reprit d'une voix
caressante :

« Nous ne sommes pas fâchés, n'est-ce pas? »

Lui, hocha la tête, en répondant :

« Non, bien sûr, jamais nous ne serons fâchés... Seulement,
vous comprenez, tout est fini. »

Et il s'en alla à grandes enjambées, laissant Gervaise
étourdie, écoutant sa dernière parole battre dans ses oreilles
avec un bourdonnement de cloche. En entrant chez le marchand de vin, elle entendait sourdement au fond d'elle :
« Tout est fini, eh bien! tout est fini; je n'ai plus rien à faire,
« moi, si tout est fini! » Elle s'assit, elle avala une bouchée
de pain et de fromage, vida un verre plein qu'elle trouva
devant elle*(**39**).

[Lantier profite de ces dispositions de Gervaise pour lui faire
abandonner sa boutique au profit de Virginie.]

X

[Le ménage Coupeau s'est installé dans un tout petit logement,
au sixième étage de la grande maison où se trouvait la blanchisserie.]

Le nouveau logement des Coupeau se trouvait au sixième,
escalier B. Quand on avait passé devant Mlle Remanjou, on
prenait le corridor, à gauche. Puis, il fallait encore tourner.
La première porte était celle des Bijard. Presque en face,
dans un trou sans air, sous un petit escalier qui montait à
la toiture, couchait le père Bru. Deux logements plus loin,

on arrivait chez Bazouge. Enfin, contre Bazouge, c'étaient les Coupeau, une chambre et un cabinet donnant sur la cour. Et il n'y avait plus, au fond du couloir, que deux ménages, avant d'être chez les Lorilleux, tout au bout.

Une chambre et un cabinet, pas plus. Les Coupeau perchaient là, maintenant. Et encore la chambre était-elle large comme la main. Il fallait y faire tout, dormir, manger et le reste. Dans le cabinet, le lit de Nana tenait juste; elle devait se déshabiller chez son père et sa mère, et on laissait la porte ouverte, la nuit, pour qu'elle n'étouffât pas. C'était si petit, que Gervaise avait cédé des affaires aux Poisson en quittant la boutique, ne pouvant tout caser. Le lit, la table, quatre chaises, le logement était plein. Même le cœur crevé, n'ayant pas le courage de se séparer de sa commode, elle avait encombré le carreau de ce grand coquin de meuble, qui bouchait la moitié de la fenêtre. Un des battants se trouvait condamné, ça enlevait de la lumière et de la gaieté. Quand elle voulait regarder dans la cour, comme elle devenait très grosse, elle n'avait pas la place de ses coudes, elle se penchait de biais, le cou tordu, pour voir.

Les premiers jours, la blanchisseuse s'asseyait et pleurait. Ça lui semblait trop dur, de ne plus pouvoir se remuer chez elle, après avoir toujours été au large. Elle suffoquait, elle restait à la fenêtre pendant des heures, écrasée entre le mur et la commode, à prendre des torticolis. Là seulement elle respirait. La cour, pourtant, ne lui inspirait guère que des idées tristes. En face d'elle, du côté du soleil, elle apercevait son rêve d'autrefois, cette fenêtre du cinquième où des haricots d'Espagne[1], à chaque printemps, enroulaient leurs tiges minces sur un berceau de ficelles. Sa chambre, à elle, était du côté de l'ombre, les pots de réséda y mouraient en huit jours. Ah! non, la vie ne tournait pas gentiment, ce n'était guère l'existence qu'elle avait espérée. Au lieu d'avoir des fleurs sur sa vieillesse, elle roulait dans les choses qui ne sont pas propres. Un jour, se penchant, elle eut une drôle de sensation, elle crut se voir en personne là-bas, sous le porche, près de la loge du concierge, le nez en l'air, examinant la maison pour la première fois; et ce saut de treize ans en arrière lui donna un élancement au cœur. La cour n'avait pas changé, les façades nues à peine plus noires et

1. Cf. p. 40, note 1.

plus lépreuses; une puanteur montait des plombs[1] rongés de rouille; aux cordes des croisées, séchaient des linges, des couches d'enfant emplâtrées d'ordure; en bas, le pavé défoncé restait sali des escarbilles de charbon du serrurier et des copeaux du menuisier; même, dans le coin humide de la fontaine, une mare coulée de la teinturerie avait une belle teinte bleue, d'un bleu aussi tendre que le bleu de jadis. Mais elle, à cette heure, se sentait joliment changée et décatie[2]. Elle n'était plus en bas, d'abord, la figure vers le ciel, contente et courageuse, ambitionnant un bel appartement. Elle était sous les toits, dans le coin des pouilleux, dans le trou le plus sale, à l'endroit où l'on ne recevait jamais la visite d'un rayon. Et ça expliquait ses larmes, elle ne pouvait pas être enchantée de son sort*(**40**)

Cependant, lorsque Gervaise se fut un peu accoutumée, les commencements du ménage, dans le nouveau logement, ne se présentèrent pas mal. L'hiver était presque fini, les quatre sous des meubles cédés à Virginie avaient facilité l'installation. Puis, dès les beaux jours, il arriva une chance, Coupeau se trouva embauché pour aller travailler en province, à Étampes[3]; et là, il fut près de trois mois, sans se soûler, guéri un moment par l'air de la campagne. On ne se doute pas combien ça désaltère les pochards[4], de quitter l'air de Paris, où il y a dans les rues une vraie fumée d'eau-de-vie et de vin. A son retour, il était frais comme une rose, et il rapportait quatre cents francs, avec lesquels ils payèrent les deux termes arriérés de la boutique, dont les Poisson avaient répondu, ainsi que d'autres petites dettes du quartier, les plus criardes. Gervaise déboucha[5] deux ou trois rues où elle ne passait plus. Naturellement, elle s'était mise repasseuse à la journée. Mme Fauconnier, très bonne femme pourvu qu'on la flattât, avait bien voulu la reprendre. Elle lui donnait même trois francs, comme à une première ouvrière, par égard pour son ancienne position de patronne. Aussi le ménage semblait-il devoir boulotter[6]. Même, avec du travail et de l'économie, Gervaise voyait le jour où ils

1. Cf. p. 38, note 2; 2. *Décatie* : « qui n'a plus ni jeunesse ni beauté, qui sont le *cati*, le lustre de l'homme et de la femme » (Delvau); 3. *Étampes* : petite ville de Seine-et-Oise, à 60 kilomètres de Paris; 4. *Pochard* : ivrogne (plein comme une *poche*. Cf. sac à vin); 5. « Dans l'argot des débiteurs, on dit qu'une rue est *barrée* lorsqu'il y demeure un créancier. On dit aussi : *rue où l'on pave* » (Delvau). On saisit le sens de *déboucher* ; 6. *Boulotter* : « aller doucement, faire ses petites affaires » (Delvau).

pourraient tout payer et s'arranger un petit train-train supportable. Seulement, elle se promettait ça, dans la fièvre de la grosse somme gagnée par son mari. A froid, elle acceptait le temps comme il venait, elle disait que les belles choses ne duraient pas.

[On s'est encore mis en frais pour la première communion de Nana. « Mais ce fut là le dernier beau jour du ménage. »]

Deux années s'écoulèrent, pendant lesquelles ils s'enfoncèrent de plus en plus. Les hivers surtout les nettoyaient[1]. S'ils mangeaient du pain au beau temps, les fringales[2] arrivaient avec la pluie et le froid, les danses devant le buffet[3], les dîners par cœur[4], dans la petite Sibérie de leur cambuse[5]. Ce gredin de décembre entrait chez eux par-dessous la porte, et il apportait tous les maux, le chômage des ateliers, les fainéantises engourdies des gelées, la misère noire des temps humides. Le premier hiver, ils firent encore du feu quelquefois, se pelotonnant autour du poêle, aimant mieux avoir chaud que de manger; le second hiver, le poêle ne se dérouilla seulement pas, il glaçait la pièce de sa mine lugubre de borne de fonte. Et ce qui leur cassait les jambes, ce qui les exterminait, c'était par-dessus tout de payer leur terme. Oh! le terme de janvier, quand il n'y avait pas un radis[6] à la maison et que le père Boche présentait la quittance! Ça soufflait davantage de froid, une tempête du Nord. M. Marescot arrivait, le samedi suivant, couvert d'un bon paletot, ses grandes pattes fourrées dans des gants de laine; et il avait toujours le mot d'expulsion à la bouche, pendant que la neige tombait dehors, comme si elle leur préparait un lit sur le trottoir, avec des draps blancs. Pour payer le terme, ils auraient vendu de leur chair. C'était le terme qui vidait le buffet et le poêle. Dans la maison entière, d'ailleurs, une lamentation montait. On pleurait à tous les étages, une musique de malheur ronflant le long de l'escalier et des corridors*(41). Si chacun avait eu un mort chez lui, ça n'aurait pas produit un air d'orgues aussi abominable. Un vrai jour du jugement dernier, la fin des fins, la vie impos-

---

1. *Nettoyer* : « ruiner » (Delvau); 2. *Fringale* : mot familier pour *faim*; 3. *Danser devant le buffet* (pop.) : n'avoir rien à manger; 4. *Dîner par cœur* : se priver de dîner; 5. Ce mot populaire désignant un logement étroit et sale est emprunté aux marins, qui nomment ainsi le magasin des vivres situé sous l'entrepont; 6. *Radis* : « pièce de monnaie, argent quelconque, dans l'argot des faubouriens » (Delvau).

sible, l'écrasement du pauvre monde. [...] Un ouvrier, le maçon du cinquième, avait volé chez son patron*(42).

Sans doute, les Coupeau devaient s'en prendre à eux seuls. L'existence a beau être dure, on s'en tire toujours, lorsqu'on a de l'ordre et de l'économie, témoin les Lorilleux qui allongeaient leurs termes régulièrement, pliés dans des morceaux de papier sales; mais, ceux-là, vraiment, menaient une vie d'araignées maigres, à dégoûter du travail. Nana ne gagnait encore rien, dans les fleurs; elle depensait même pas mal pour son entretien. Gervaise, chez Mme Fauconnier, finissait par être mal regardée. Elle perdait de plus en plus la main, elle bousillait[1] l'ouvrage, au point que la patronne l'avait réduite à quarante sous, le prix des gâcheuses[2]. Avec ça, très fière, très susceptible, jetant à la tête de tout le monde son ancienne position de femme établie. Elle manquait des journées, elle quittait l'atelier, par coup de tête : ainsi, une fois, elle s'était trouvée si vexée de voir Mme Fauconnier prendre Mme Putois chez elle, et de travailler ainsi coude à coude avec son ancienne ouvrière, qu'elle n'avait pas reparu de quinze jours. Après ces foucades[3], on la reprenait par charité, ce qui l'aigrissait davantage. Naturellement, au bout de la semaine, la paye n'était pas grasse; et, comme elle le disait amèrement, c'était elle qui finirait un samedi par en redevoir à la patronne. Quant à Coupeau, il travaillait peut-être, mais alors il faisait, pour sûr, cadeau de son travail au gouvernement, car Gervaise, depuis l'embauchage d'Étampes, n'avait pas revu la couleur de sa monnaie. Les jours de sainte-touche[4], elle ne lui regardait plus les mains, quand il rentrait. Il arrivait les bras ballants, les goussets vides, souvent même sans mouchoir; mon Dieu! oui, il avait perdu son tire-jus[5], ou bien quelque fripouille de camarade le lui avait fait[6]. Les premières fois, il établissait des comptes, il inventait des craques[7], des dix francs pour une souscription, des vingt francs coulés de sa poche par un trou qu'il montrait, des cinquante francs dont il arrosait

---

1. *Bousiller* : « faire vite et mal, dans l'argot du peuple, qui sait avec quel sans-façon et quelle rapidité les maçons bâtissent les maisons des champs, avec du crachat et de la *boue*, ou mieux de la *bouse* » (Delvau). Le *bousillage* est en effet un mélange de chaume et de terre détrempée, dont on fait les murs de clôture; 2. *Gâcheuses* : femmes qui *gâchent* le travail par leur manque de soin. Ce terme est encore emprunté au vocabulaire des maçons; 3. *Foucades* : idées subites et imprévues (fam. de *fougue*); 4. « La fin de la quinzaine, dans l'argot des ouvriers » (Delvau); 5. *Tire-jus* : mouchoir (pop.); 6. *Faire* est un synonyme argotique de *voler*; 7. *Craques* : mensonges (vieux mot pop.).

des dettes imaginaires[1]. Puis, il ne s'était plus gêné. L'argent s'évaporait, voilà! Il ne l'avait plus dans la poche, il l'avait dans le ventre, une autre façon pas drôle de le rapporter à sa bourgeoise[2]. La blanchisseuse, sur les conseils de Mme Boche, allait bien parfois guetter son homme à la sortie de l'atelier, pour pincer le magot[3] tout frais pondu; mais ça ne l'avançait guère, des camarades prévenaient Coupeau, l'argent filait dans les souliers ou dans un porte-monnaie moins propre encore. Mme Boche était très maligne sur ce chapitre, parce que Boche lui faisait passer au bleu[4] des pièces de dix francs, des cachettes destinées à payer des lapins aux dames aimables de sa connaissance; elle visitait les plus petits coins de ses vêtements, elle trouvait généralement la pièce qui manquait à l'appel dans la visière de la casquette, cousue entre le cuir et l'étoffe. Ah! ce n'était pas le zingueur qui ouatait ses frusques avec de l'or! Lui, se le mettait sous la chair. Gervaise ne pouvait pourtant pas prendre ses ciseaux et lui découdre la peau du ventre*(**43**). [...]

Au milieu de cette existence enragée par la misère, Gervaise souffrait encore des faims qu'elle entendait râler autour d'elle. Ce coin de la maison était le coin des pouilleux, où trois ou quatre ménages semblaient s'être donné le mot pour ne pas avoir du pain tous les jours. Les portes avaient beau s'ouvrir, elles ne lâchaient guère souvent des odeurs de cuisine. Le long du corridor, il y avait un silence de crevaison[5], et les murs sonnaient creux, comme des ventres vides. Par moments, des danses[6] s'élevaient, des larmes de femmes, des plaintes de mioches affamés, des familles qui se mangeaient pour tromper leur estomac. On était là dans une crampe au gosier générale[7], bâillant par toutes ces bouches tendues; et les poitrines se creusaient, rien qu'à respirer cet air, où les moucherons eux-mêmes n'auraient pas pu vivre, faute de nourriture. Mais la grande pitié de Gervaise était surtout le père Bru, dans son trou, sous le petit escalier. Il s'y retirait comme une marmotte, s'y mettait en boule, pour avoir moins froid; il restait des journées

---

1. Ces traits de mœurs sont rapportés dans *le Sublime* ; **2.** Sa femme, dans la langue du peuple; **3.** *Magot :* trésor (pop.); **4.** Faire disparaître : allusion au *bleu* des blanchisseuses, qui fait disparaître les taches; **5.** « Agonie, mort » (Delvau). Zola adapte au langage populaire et rajeunit ainsi le cliché : *un silence de mort* ; **6.** *Danses :* corrections corporelles, coups, batailles (pop.); **7.** Cette image semble une création de Zola.

sans bouger, sur un tas de paille. La faim ne le faisait même
plus sortir, car c'était bien inutile d'aller gagner dehors de
l'appétit, lorsque personne ne l'avait invité en ville. Quand
il ne reparaissait pas de trois ou quatre jours, les voisins
poussaient sa porte, regardaient s'il n'était pas fini. Non, il
vivait quand même, pas beaucoup, mais un peu, d'un œil
seulement; jusqu'à la mort qui l'oubliait! Gervaise, dès
qu'elle avait du pain, lui jetait des croûtes. Si elle devenait
mauvaise et détestait les hommes, à cause de son mari,
elle plaignait toujours bien sincèrement les animaux; et le
père Bru, ce pauvre vieux, qu'on laissait crever, parce qu'il
ne pouvait plus tenir un outil, était comme un chien pour
elle, une bête hors de service, dont les équarrisseurs[1] ne
voulaient même pas acheter la peau ni la graisse. Elle en
gardait un poids sur le cœur, de le savoir continuellement là,
de l'autre côté du corridor, abandonné de Dieu et des
hommes, se nourrissant uniquement de lui-même, retournant
à la taille d'un enfant, ratatiné et desséché à la manière des
oranges qui se racornissent sur les cheminées★(**44**). [...]

Dans son coin de misère, au milieu de ses soucis et de ceux
des autres, Gervaise trouvait pourtant un bel exemple de
courage chez les Bijard. La petite Lalie, cette gamine de
huit ans, grosse comme deux sous de beurre, soignait le
ménage avec une propreté de grande personne; et la besogne
était rude, elle avait la charge de deux mioches, son frère
Jules et sa sœur Henriette, des mômes de trois ans et de
cinq ans, sur lesquels elle devait veiller toute la journée,
même en balayant et en lavant la vaisselle. Depuis que le
père Bijard avait tué sa bourgeoise d'un coup de pied dans
le ventre, Lalie s'était faite la petite mère de tout ce monde.
Sans rien dire, d'elle-même, elle tenait la place de la morte,
cela au point que sa bête brute de père, pour compléter
sans doute la ressemblance, assommait aujourd'hui la fille
comme il avait assommé la maman autrefois. Quand il revenait soûl, il lui fallait des femmes à massacrer. Il ne s'apercevait seulement pas que Lalie était toute petite; il n'aurait
pas tapé plus fort sur une vieille peau. D'une claque, il lui
couvrait la figure entière, et la chair avait encore tant de
délicatesse, que les cinq doigts restaient marqués pendant

---

1. L'*équarrisseur* est celui dont la profession est d'*équarrir*, c'est-à-dire
d'écorcher, de dépecer les animaux morts (vieux chevaux, bêtes de somme)
pour en tirer la peau, la graisse, les os.

deux jours. C'étaient des tripotées indignes, des trépignées[1] pour un oui, pour un non, un loup enragé tombant sur un pauvre petit chat, craintif et câlin, maigre à faire pleurer, et qui recevait ça avec ses beaux yeux résignés, sans se plaindre. Non, jamais Lalie ne se révoltait. Elle pliait un peu le cou, pour protéger son visage; elle se retenait de crier, afin de ne pas révolutionner la maison. Puis, quand le père était las de l'envoyer promener à coups de soulier aux quatre coins de la pièce, elle attendait d'avoir la force de se ramasser; et elle se remettait au travail, débarbouillait ses enfants, faisait la soupe, ne laissait pas un grain de poussière sur les meubles. Ça rentrait dans sa tâche de tous les jours d'être battue.

Gervaise s'était prise d'une grande amitié pour sa voisine. Elle la traitait en égale, en femme d'âge, qui connaît l'existence. Il faut dire que Lalie avait une mine pâle et sérieuse, avec une expression de vieille fille. On lui aurait donné trente ans, quand on l'entendait causer. Elle savait très bien acheter, raccommoder, tenir son chez elle, et elle parlait des enfants comme si elle avait eu déjà deux ou trois couches dans sa vie. A huit ans, cela faisait sourire les gens de l'entendre; puis, on avait la gorge serrée, on s'en allait pour ne pas pleurer. Gervaise l'attirait le plus possible, lui donnait tout ce qu'elle pouvait, du manger, des vieilles robes. Un jour, comme elle lui essayait un ancien caraco[2] à Nana, elle était restée suffoquée, en lui voyant l'échine bleue, le coude écorché et saignant encore, toute sa chair d'innocente martyrisée et collée aux os. Eh bien! le père Bazouge pouvait apprêter sa boîte, elle n'irait pas loin de ce train-là! Mais la petite avait prié la blanchisseuse de ne rien dire. Elle ne voulait pas qu'on embêtât son père à cause d'elle. Elle le défendait, assurait qu'il n'aurait pas été méchant, s'il n'avait pas bu. Il était fou, il ne savait plus. Oh! elle lui pardonnait, parce qu'on doit tout pardonner aux fous. [...]

Lorsque Gervaise songeait à Lalie, elle n'osait plus se plaindre. Elle aurait voulu avoir le courage de cette bambine de huit ans, qui en endurait à elle seule autant que toutes les femmes de l'escalier réunies. Elle l'avait vue au pain sec pendant trois mois, ne mangeant pas même des croûtes à sa faim, si maigre et si affaiblie, qu'elle se tenait aux murs pour

---

1. *Tripotées, trépignées :* variétés de coups, dans le langage populaire; **2.** Cf. p. 80, note 4.

marcher; et, quand elle lui portait des restants de viande en
cachette, elle sentait son cœur se fendre, en la regardant
avaler avec de grosses larmes silencieuses, par petits morceaux, parce que son gosier rétréci ne laissait plus passer la
nourriture. Toujours tendre et dévouée, malgré ça, d'une
raison au-dessus de son âge, remplissant ses devoirs de petite
mère, jusqu'à mourir de sa maternité, éveillée trop tôt dans
son innocence frêle de gamine. Aussi Gervaise prenait-elle
exemple sur cette chère créature de souffrance et de pardon,
essayant d'apprendre d'elle à taire son martyre. Lalie gardait
seulement son regard muet, ses grands yeux noirs résignés,
au fond desquels on ne devinait qu'une nuit d'agonie et de
misère. Jamais une parole, rien que ses grands yeux noirs,
ouverts largement*(**45**).

C'est que, dans le ménage Coupeau, le vitriol[1] de l'Assommoir commençait à faire aussi son ravage. La blanchisseuse voyait arriver l'heure où son homme prendrait un
fouet comme Bijard, pour mener la danse[2]. Et le malheur
qui la menaçait, la rendait naturellement plus sensible
encore au malheur de la petite. Oui, Coupeau filait un mauvais coton[3]. L'heure était passée où le cric[4] lui donnait des
couleurs. Il ne pouvait plus se taper sur le torse, et crâner,
en disant que le sacré chien[5] l'engraissait; car sa vilaine
graisse jaune des premières années avait fondu, et il tournait
au sécot[6], il se plombait[7] avec des tons verts de macchabée[8]
pourrissant dans une mare. L'appétit, lui aussi, était rasé.
Peu à peu, il n'avait plus eu de goût pour le pain, il en était
même arrivé à cracher sur le fricot[9]. On aurait pu lui servir
la ratatouille[10] la mieux accommodée, son estomac se barrait,
ses dents molles refusaient de mâcher. Pour se soutenir,
il lui fallait sa chopine[11] d'eau-de-vie par jour; c'était sa
ration, son manger et son boire, la seule nourriture qu'il
digérât. Le matin, dès qu'il sautait du lit, il restait un gros
quart d'heure plié en deux, toussant et claquant des os, se

---

1. Cf. p. 35, note 7; **2.** Cf. p. 87, note 6; **3.** « Être malade et sur le point de
mourir » (Delvau), — ou au moins menacé dans sa santé; **4.** *Cric* ou *crique* :
« eau-de-vie de qualité inférieure » (Delvau); **5.** Dans l'argot des faubouriens,
chien signifiait alors : compagnon, camarade; c'est à l'alcool que Coupeau
donne ici ce titre; **6.** *Sécot* : « homme sec et maigre » (Delvau); **7.** *Se plomber* :
prendre une couleur de plomb; **8.** *Macchabée* : « cadavre — dans l'argot du
peuple, qui fait allusion, sans s'en douter, aux sept martyrs chrétiens » (Delvau);
9. *Fricot* : tout ce qui se mange (cf. *fricasser*); **10.** *Ratatouille* : mauvais ragoût,
plat manqué » (Delvau), mais ici, au contraire, plat savamment et longuement
cuisiné ; **11.** *Chopine* : petite chope, demi-pinte, puis demi-litre.

tenant la tête et lâchant de la pituite[1], quelque chose d'amer comme chicotin[2] qui lui ramonait la gorge. Ça ne manquait jamais, on pouvait apprêter Thomas[3] à l'avance. Il ne retombait d'aplomb sur ses pattes qu'après son premier verre de consolation, un vrai remède dont le feu lui cautérisait les boyaux. Mais, dans la journée, les forces reprenaient. D'abord, il avait senti des chatouilles, des picotements sur la peau, aux pieds et aux mains; et il rigolait, il racontait qu'on lui faisait des minettes[4], que sa bourgeoise devait mettre du poil à gratter[5] entre les draps. Puis, ses jambes étaient devenues lourdes, les chatouilles avaient fini par se changer en crampes abominables qui lui pinçaient la viande comme dans un étau. Ça, par exemple, lui semblait moins drôle. Il ne riait plus, s'arrêtait court sur le trottoir, étourdi, les oreilles bourdonnantes, les yeux aveuglés d'étincelles. Tout lui paraissait jaune, les maisons dansaient, il festonnait[6] trois secondes, avec la peur de s'étaler. D'autres fois, l'échine au grand soleil, il avait un frisson, comme une eau glacée qui lui aurait coulé des épaules au derrière. Ce qui l'enquiquinait[7] le plus, c'était un tremblement de ses deux mains; la main droite surtout devait avoir commis un mauvais coup, tant elle avait des cauchemars. Nom de Dieu! il n'était donc plus un homme, il tournait à la vieille femme! Il tendait furieusement ses muscles, il empoignait son verre, pariait de le tenir immobile, comme au bout d'une main de marbre; mais, le verre, malgré son effort, dansait le chahut[8], sautait à droite, sautait à gauche, avec un petit tremblement pressé et régulier. Alors, il se le vidait dans le coco[9], furieux, gueulant qu'il lui en faudrait des douzaines et qu'ensuite il se chargeait de porter un tonneau sans remuer un doigt. Gervaise lui disait au contraire de ne plus boire, s'il voulait cesser de trembler. Et il se fichait d'elle,

---

1. *Pituite :* « vomissement glaireux, qui survient le matin chez les alcooliques ou les sujets atteints de gastrite » (Larousse). Zola a emprunté ces détails médicaux à l'ouvrage du Dr V. Magnan sur l'alcoolisme; 2. *Chicotin :* comparaison familière (le *chicotin* est le suc — effectivement très amer — qu'on extrait de l'aloès); 3. *Thomas :* c'est le nom qu'on donnait alors au vase de nuit, par suite d'un jeu de mots sordide avec l'expression latine : *Vide, Thoma !* de l'hymne qu'on chante à l'église le jour de Pâques; 4. *Minettes :* chatouillements; 5. *Poil à gratter :* produit que les farceurs glissent dans le lit des gens pour les empêcher de dormir, et qui est fait avec le « poil » qu'on trouve dans le fruit du rosier sauvage; 6. *Festonner :* avoir une démarche que l'ivresse rend sinueuse, comme les festons d'une broderie (le mot est dans Delvau); 7. *Enquiquiner :* ennuyer (fam.); 8. Cf. p. 68, note 3; 9. *Coco :* « gorge, gosier, dans l'argot des faubouriens » (Delvau).

il buvait des litres à recommencer l'expérience, s'enrageant, accusant les omnibus qui passaient de lui bousculer son liquide*(**46**).

[Malade, Coupeau est hospitalisé à Lariboisière, puis à Sainte-Anne, car l'alcool lui a dérangé le cerveau. On le guérit, mais l'ivrogne reprend ses funestes habitudes. A bout de misère et d'humiliation, Gervaise ne tarde pas à l'imiter.]

Un samedi, Coupeau lui avait promis de la mener au Cirque. Voir des dames galoper sur des chevaux et sauter dans des ronds de papier, voilà au moins qui valait la peine de se déranger. Coupeau justement venait de faire une quinzaine, il pouvait se fendre¹ de quarante sous ; et même ils devaient manger tous les deux dehors, Nana ayant à veiller très tard ce soir-là chez son patron pour une commande pressée. Mais, à sept heures, pas de Coupeau ; à huit heures, toujours personne, Gervaise était furieuse. Son soûlard fricassait² pour sûr la quinzaine avec les camarades, chez les marchands de vin du quartier. Elle avait lavé un bonnet, et s'escrimait³, depuis le matin, sur les trous d'une vieille robe, voulant être présentable. Enfin, vers neuf heures, l'estomac vide, bleue de colère, elle se décida à descendre, pour chercher Coupeau dans les environs.

« C'est votre mari que vous demandez ? lui cria Mᵐᵉ Boche, en l'apercevant la figure à l'envers. Il est chez le père Colombe. Boche vient de prendre des cerises⁴ avec lui. »

Elle dit merci. Elle fila raide sur le trottoir, en roulant l'idée de sauter aux yeux de Coupeau. Une petite pluie fine tombait, ce qui rendait la promenade encore moins amusante. Mais, quand elle fut arrivée devant l'Assommoir, la peur de la danser⁵ elle-même, si elle taquinait son homme, la calma brusquement et la rendit prudente. La boutique flambait, son gaz allumé, les glaces blanches comme des soleils, les fioles et les bocaux illuminaient les murs de leurs verres de couleur. Elle resta là un instant, l'échine tendue, l'œil appliqué contre la vitre, entre deux bouteilles de l'étalage, à guigner⁶ Coupeau, dans le fond de la salle ; il était assis avec des camarades, autour d'une petite table de zinc,

---

1. *Se fendre* : commettre une prodigalité (pop.) ; 2. *Fricasser* : dépenser (pop.) ; 3. *S'escrimer* : s'appliquer (fam.) ; 4. *Cerises* à l'eau-de-vie ; 5. Une *danse*, en argot, est une grêle de coups, cf. p. 87, note 6 ; 6. *Guigner* : regarder avec une idée de convoitise (pop.).

tous vagues et bleuis par la fumée des pipes; et, comme on ne les entendait pas gueuler, ça faisait un drôle d'effet de les voir se démancher[1], le menton en avant, les yeux sortis de la figure. Était-il Dieu possible que des hommes pussent lâcher leurs femmes et leur chez eux pour s'enfermer ainsi dans un trou où ils étouffaient! La pluie lui dégouttait le long du cou; elle se releva, elle s'en alla sur le boulevard extérieur, réfléchissant, n'osant pas entrer. Ah bien! Coupeau l'aurait joliment reçue, lui qui ne voulait pas être relancé[2]! Puis, vrai, ça ne lui semblait guère la place d'une femme honnête. Cependant, sous les arbres trempés, un léger frisson la prenait, et elle songeait, hésitante encore, qu'elle était pour sûr en train de pincer[3] quelque bonne maladie. Deux fois elle retourna se planter devant la vitre, son œil collé de nouveau, vexée de retrouver ces sacrés pochards à couvert, toujours gueulant et buvant. Le coup de lumière de l'Assommoir se reflétait dans les flaques de pavés, où la pluie mettait un frémissement de petits bouillons. Elle se sauvait, elle pataugeait là-dedans, dès que la porte s'ouvrait et retombait, avec le claquement de ses bandes de cuivre. Enfin, elle s'appela trop bête[4], elle poussa la porte et marcha droit à la table de Coupeau. Après tout, n'est-ce pas? c'était son mari qu'elle venait demander; et elle y était autorisée, puisqu'il avait promis, ce soir-là, de la mener au Cirque. Tant pis! elle n'avait pas envie de fondre comme un pain de savon, sur le trottoir★(47).

« Tiens! c'est toi, la vieille! cria le zingueur, qu'un ricanement étranglait. Ah! elle est farce[5], par exemple!... Hein? pas vrai, elle est farce! »

Tous riaient, Mes-Bottes, Bibi-la-Grillade, Bec-Salé, dit Boit-sans-Soif. Oui, ça leur semblait farce; et ils n'expliquaient pas pourquoi. Gervaise restait debout, un peu étourdie. Coupeau lui paraissant très gentil, elle se risqua à dire :

« Tu sais, nous allons là-bas. Faut nous cavaler[6]. Nous arriverons encore à temps pour voir quelque chose.

— Je ne peux pas me lever, je suis collé, oh! sans blague, reprit Coupeau qui rigolait toujours. Essaye, pour te rensei-

---

1. *Se démancher* : se donner grand mouvement (pop.); 2. *Relancé* : poursuivi et tourmenté partout (fam.); 3. *Pincer* : attraper (fam.); 4. Elle se traita elle-même de « trop bête » (locution pop.); 5. *Farce* : comique (pop.); 6. *Se cavaler* : « s'enfuir comme un cheval » (Delvau).

Phot.

François Perier et Maria Schell dans « Gervaise »,
adaptation filmée de « l'Assommoir » de Zola.

gner; tire-moi le bras, de toutes tes forces, nom de Dieu!
plus fort que ça, ohé, hisse!... Tu vois, c'est ce roussin[1] de
père Colombe qui m'a vissé sur sa banquette. »

Gervaise s'était prêtée à ce jeu; et, quand elle lui lâcha le
bras, les camarades trouvèrent la blague si bonne, qu'ils se
jetèrent les uns sur les autres, braillant et se frottant les
épaules comme des ânes qu'on étrille. Le zingueur avait la
bouche fendue par un tel rire, qu'on lui voyait jusqu'au
gosier.

« Fichue bête! dit-il enfin, tu peux bien t'asseoir une
minute. On est mieux là qu'à barbotter dehors... Eh bien!
oui, je ne suis pas rentré, j'ai eu des affaires. Quand tu feras
ton nez[2], ça n'avancera à rien... Reculez-vous donc, vous
autres.

— Si madame voulait accepter mes genoux, ça serait plus
tendre », dit galamment Mes-Bottes.

Gervaise, pour ne pas se faire remarquer, prit une chaise
et s'assit à trois pas de la table. Elle regarda ce que buvaient
les hommes, du casse-gueule[3] qui luisait pareil à de l'or,
dans les verres; il y en avait une petite mare coulée sur la
table, et Bec-Salé, dit Boit-sans-Soif, tout en causant, trem-
pait son doigt, écrivit un nom de femme : *Eulalie*, en grosses
lettres. Elle trouva Bibi-la-Grillade joliment ravagé[4], plus
maigre qu'un cent de clous. Mes-Bottes avait un nez qui
fleurissait, un vrai dahlia bleu de Bourgogne. Ils étaient très
sales tous les quatre, avec leurs ordures de barbes raides et
pisseuses comme des balais à pot de chambre, étalant des
guenilles de blouses, allongeant des pattes noires aux ongles
en deuil[5]. Mais, vrai, on pouvait encore se montrer dans
leur société, car s'ils gobelottaient[6] depuis six heures, ils
restaient tout de même comme il faut, juste à ce point où
l'on charme ses puces[7]. Gervaise en vit deux autres devant
le comptoir en train de se gargariser[8], si pafs[9], qu'ils se
jetaient leur petit verre sous le menton, et imbibaient leur
chemise, en croyant se rincer la dalle[10]. Le gros père
Colombe, qui allongeait ses bras énormes, les porte-

1. Cf. p. 37, note 3; 2. *Faire son nez*, c'est manifester par sa mine son
mécontentement (pop.); 3. *Casse-gueule :* eau-de-vie de première force (pop.).
Delvau atteste *casse-poitrine ;* 4. *Ravagé :* portant les traces des *ravages* causés
par l'alcool; 5. « Ongles noirs, malpropres » (Delvau); 6. Cf. p. 62, note 12;
7. *Charmer les puces :* « se mettre en état d'ivresse » (Delvau), ou plutôt être
juste sur le bord de l'ivresse; 8. *Se gargariser :* « boire » (Delvau); 9. *Paf :*
« gris, ivre, dans l'argot des faubouriens » (Delvau); 10. Encore une expression
qui signifie : boire.

respect[1] de son établissement, versait tranquillement les tournées. Il faisait très chaud, la fumée des pipes montait dans
la clarté aveuglante du gaz, où elle roulait comme une poussière, noyant les consommateurs d'une buée, lentement
épaissie; et, de ce nuage, un vacarme sortait, assourdissant
et confus, des voix cassées, des chocs de verre, des jurons
et des coups de poing semblables à des détonations. Aussi
Gervaise avait-elle pris sa figure en coin de rue[2], car une
pareille vue n'est pas drôle pour une femme, surtout quand
elle n'en a pas l'habitude; elle étouffait, les yeux brûlés, la
tête déjà alourdie par l'odeur d'alcool qui s'exhalait de la
salle entière. Puis, brusquement, elle eut la sensation d'un
malaise plus inquiétant derrière son dos. Elle se tourna, elle
aperçut l'alambic, la machine à soûler, fonctionnant sous le
vitrage de l'étroite cour, avec la trépidation profonde de sa
cuisine d'enfer. Le soir, les cuivres étaient plus mornes,
allumés seulement sur leur rondeur d'une large étoile rouge;
et l'ombre de l'appareil, contre la muraille du fond, dessinait
des abominations, des figures avec des queues, des monstres
ouvrant leurs mâchoires comme pour avaler le monde*(48).

« Dis donc, Marie-bon-Bec[3], ne fais pas ta gueule! cria
Coupeau. Tu sais, à Chaillot[4] les rabat-joie[5]!... Qu'est-ce
que tu veux boire?

— Rien, bien sûr, répondit la blanchisseuse. Je n'ai pas
dîné, moi.

— Eh bien! raison de plus; ça soutient, une goutte de
quelque chose. »

Mais, comme elle ne se décidait pas, Mes-Bottes se montra
galant de nouveau.

« Madame doit aimer les douceurs, murmura-t-il.

— J'aime les hommes qui ne se soûlent pas, reprit-elle
en se fâchant. Oui, j'aime qu'on rapporte sa paie et qu'on
soit de parole, quand on a fait une promesse.

— Ah! c'est ça qui te chiffonne[6]! dit le zingueur, sans
cesser de ricaner. Tu veux ta part. Alors, grande cruche,

---

1. Mot sans doute forgé par Zola sur le modèle de beaucoup de mots
populaires cités par Delvau et par Poulot (la bouche s'appelle le porte-pipe, etc.);
2. Par conséquent peu engageante; **3.** « Femme bavarde, « un peu trop forte
en gueule, dans l'argot du peuple » (Delvau); **4.** « Expression populaire, d'origine
inconnue, mais de date très ancienne. On disait « un ahuri de Chaillot », pour
un imbécile, un niais. *Envoyer à Chaillot :* « envoyer promener » (Delvau).
Chaillot était jadis un village des environs de Paris (cf. revenir de Pontoise);
5. *Rabat-joie :* « personne mélancolique ou grondeuse » (Delvau); **6.** *Chiffon-
ner :* contrarier (fam.).

pourquoi refuses-tu une consommation?... Prends donc, c'est tout bénéfice. »

Elle le regarda fixement, l'air sérieux, avec un pli qui lui traversait le front d'une raie noire. Et elle répondit d'une voix lente :

« Tiens! tu as raison, c'est une bonne idée. Comme ça, nous boirons la monnaie ensemble★(**49**). »

Bibi-la-Grillade se leva pour aller lui chercher un verre d'anisette[1]. Elle approcha sa chaise, elle s'attabla. Pendant qu'elle sirotait son anisette, elle eut tout d'un coup un souvenir, elle se rappela la prune qu'elle avait mangée avec Coupeau, jadis, près de la porte, lorsqu'il lui faisait la cour[2]. En ce temps-là, elle laissait la sauce des fruits à l'eau-de-vie. Et, maintenant, voici qu'elle se remettait aux liqueurs. Oh! elle se connaissait, elle n'avait pas pour deux liards de volonté. On n'aurait eu qu'à lui donner une chiquenaude sur les reins pour l'envoyer faire une culbute dans la boisson. Même ça lui semblait très bon, l'anisette, peut-être un peu trop doux, un peu écœurant. Et elle suçait son verre, en écoutant Bec-Salé, dit Boit-sans-Soif, raconter sa liaison avec la grosse Eulalie, celle qui vendait du poisson dans la rue, une femme rudement maligne, une particulière[3] qui le flairait chez les marchands de vin, tout en poussant sa voiture, le long des trottoirs; les camarades avaient beau l'avertir et le cacher, elle le pinçait souvent, elle lui avait même, la veille, envoyé une limande[4] par la figure, pour lui apprendre à manquer l'atelier. Par exemple, ça, c'était drôle. Bibi-la-Grillade et Mes-Bottes, les côtes crevées de rire, appliquaient des claques sur les épaules de Gervaise, qui rigolait enfin, comme chatouillée et malgré elle; et ils lui conseillaient d'imiter la grosse Eulalie, d'apporter ses fers et de repasser les oreilles de Coupeau sur le zinc des mastroquets.

« Ah bien! merci, cria Coupeau qui retourna le verre d'anisette vidé par sa femme, tu nous pompes joliment ça! Voyez donc, la coterie[5], ça ne lanterne[6] guère.

— Madame redouble[7]? » demanda Bec-Salé, dit Boit-sans-Soif.

---

1. Cf. p. 35, note 4; **2.** Cf. le chap. II; **3.** *Particulière :* une personne (pop.); **4.** Une *limande,* en argot, c'est une gifle. Mais comme la « particulière » est marchande de poisson, il peut bien s'agir effectivement de cette espèce de poisson plat; **5.** *Coterie :* « les compagnons » (Delvau); **6.** *Lanterner :* « résister, aller lentement » (Delvau); **7.** *Redoubler :* prendre un second verre, dans l'argot des buveurs.

Non, elle en avait assez. Elle hésitait pourtant. L'anisette lui barbouillait le cœur. Elle aurait plutôt pris quelque chose de raide pour se guérir l'estomac. Et elle jetait des regards obliques sur la machine à soûler, derrière elle. Cette sacrée marmite, ronde comme un ventre de chaudronnière grasse, avec son nez qui s'allongeait et se tortillait, lui soufflait un frisson dans les épaules, une peur mêlée d'un désir. Oui, on aurait dit la fressure[1] de métal d'une grande gueuse, de quelque sorcière qui lâchait goutte à goutte le feu de ses entrailles. Une jolie source de poison, une opération qu'on aurait dû enterrer dans une cave, tant elle était effrontée et abominable! Mais ça n'empêchait pas, elle aurait voulu mettre son nez là-dedans, renifler l'odeur, goûter à la cochonnerie, quand même sa langue brûlée aurait dû en peler du coup comme une orange.

« Qu'est-ce que vous buvez donc là? demanda-t-elle sournoisement aux hommes, l'œil allumé par la belle couleur d'or de leurs verres.

— Ça, ma vieille, répondit Coupeau, c'est le camphre[2] du papa Colombe... Fais pas la bête, n'est-ce pas? On va t'y faire goûter. »

Et lorsqu'on lui eut apporté un verre de vitriol[3], et que sa mâchoire se contracta, à la première gorgée, le zingueur reprit, en se tapant sur les cuisses :

« Hein! ça te rabote le sifflet[4]!... Avale d'une lampée. Chaque tournée retire un écu de six francs de la poche du médecin★(**50**). »

Au deuxième verre, Gervaise ne sentit plus la faim qui la tourmentait. Maintenant, elle était raccommodée avec Coupeau, elle ne lui en voulait plus de son manque de parole. Ils iraient au Cirque une autre fois; ce n'était pas si drôle, des faiseurs de tours qui galopaient sur des chevaux. Il ne pleuvait pas chez le père Colombe, et si la paie fondait dans le fil-en-quatre[5], on se la mettait sur le torse au moins, on la buvait limpide et luisante comme du bel or liquide. Ah! elle envoyait joliment flûter[6] le monde! La vie ne lui offrait

---

1. *Fressure :* viscères d'un animal; **2.** *Camphre :* « eau-de-vie de qualité inférieure, âpre au gosier et funeste à l'estomac, comme on en boit dans les cabarets populaires » (Delvau). On appelait *camphrier* un marchand d'eau-de-vie; **3.** Cf. p. 35, note 7; **4.** *Raboter le sifflet :* « boire un verre d'eau-de-vie ou de vin » (Delvau). Mais Zola donne à cette image un sens plus précis (le *sifflet*, en argot, est le gosier); **5.** Encore un synonyme populaire d'eau-de-vie (le mot est dans Th. Gautier. Dans Delvau, on trouve *fil-en-trois*); **6.** Envoyait promener. L'interjection populaire *flûte* est une façon de marquer son mépris.

pas tant de plaisirs; d'ailleurs, ça lui semblait une consolation d'être de moitié dans le nettoyage de la monnaie. Puisqu'elle était bien, pourquoi donc ne serait-elle pas restée?
On pouvait tirer le canon, elle n'aimait plus bouger, quand
elle avait fait son tas[1]. Elle mijotait dans une bonne chaleur,
son corsage collé à son dos, envahie d'un bien-être qui lui
engourdissait les membres. Elle rigolait toute seule, les
coudes sur la table, les yeux perdus, très amusée par deux
clients, un gros mastoc[2] et un nabot[3], à une table voisine,
en train de s'embrasser comme du pain, tant ils étaient gris.
Oui, elle riait à l'Assommoir, à la pleine lune[4] du père
Colombe, une vraie vessie de saindoux, aux consommateurs
fumant leur brûle-gueule, criant et crachant, aux grandes
flammes du gaz qui allumaient les glaces et les bouteilles
de liqueur. L'odeur ne la gênait plus; au contraire, elle avait
des chatouilles dans le nez, elle trouvait que ça sentait bon;
ses paupières se fermaient un peu, tandis qu'elle respirait
très court, sans étouffement, goûtant la jouissance du lent
sommeil dont elle était prise. Puis, après son troisième petit
verre, elle laissa tomber son menton sur ses mains, elle ne vit
plus que Coupeau et les camarades; et elle demeura nez à
nez avec eux, tout près, les joues chauffées par leur haleine,
regardant leurs barbes sales, comme si elle en avait compté
les poils. Ils étaient très soûls, à cette heure. Mes-Bottes
bavait, la pipe aux dents, de l'air muet et grave d'un bœuf
assoupi. Bibi-la-Grillade racontait une histoire, la façon dont
il vidait d'un trait, en lui fichant un tel baiser à la régalade,
qu'on lui voyait le derrière*(51). [...]

Jamais elle ne sut comment elle avait monté les six
étages. En haut, au moment où elle prenait le corridor, la
petite Lalie, qui entendait son pas, accourut, les bras ouverts
dans un geste de caresse, riant et disant :

« Madame Gervaise, papa n'est pas rentré, venez donc
voir dormir mes enfants... Oh! ils sont gentils! »

Mais, en face du visage hébété de la blanchisseuse, elle
recula et trembla. Elle connaissait ce souffle d'eau-de-vie,
ces yeux pâles, cette bouche convulsée. Alors, Gervaise
passa en trébuchant, sans dire un mot, pendant que

---

1. C'est-à-dire : quand elle était repliée sur elle-même; 2. *Mastoc* : « homme
gras, gros, épais, lourd, dans l'argot du peuple » (Delvau); 3. *Nabot* : « homme
de petite taille, nain » (Delvau); 4. « Visage large, épanoui, rayonnant de
satisfaction et de santé » (Delvau).

la petite, debout, sur le seuil de sa porte, la suivait de son regard noir, muet et grave★(**52**).

XI

[Nana est entrée en apprentissage comme fleuriste. Par l'effet des mauvais exemples et de sa mauvaise éducation, elle est promise à la débauche. Déjà elle commence à se dévergonder. Comme l'existence est devenue intenable chez ses parents, que son père la bat quand il est ivre et que sa mère l'ennuie en lui faisant la morale, elle quittera la maison, pour un temps d'abord, puis définitivement. Voici un aperçu de la vie familiale à cette époque.]

Mais, lorsque l'hiver arriva, l'existence devint impossible chez les Coupeau. Chaque soir, Nana recevait sa raclée[1]. Quand le père était las de la battre, la mère lui envoyait des torgnoles[2], pour lui apprendre à bien se conduire. Et c'étaient souvent des danses[3] générales; dès que l'un tapait, l'autre la défendait, si bien que tous les trois finissaient par se rouler sur le carreau, au milieu de la vaisselle cassée. Avec ça, on ne mangeait point à sa faim, on crevait de froid. Si la petite s'achetait quelque chose de gentil, un nœud de ruban, des boutons de manchette, les parents le lui confisquaient et allaient le laver[4]. Elle n'avait rien à elle que sa rente de calottes[5] avant de se fourrer dans le lambeau de drap, où elle grelottait sous son petit jupon noir qu'elle étalait pour toute couverture. Non, cette sacrée vie-là ne pouvait pas continuer, elle ne voulait point y laisser sa peau. Son père, depuis longtemps, ne comptait plus; quand un père se soûle comme le sien se soûlait, ce n'est pas un père, c'est une sale bête dont on voudrait bien être débarrassé. Et, maintenant, sa mère dégringolait à son tour dans son amitié. Elle buvait, elle aussi. Elle entrait par goût chercher son homme chez le père Colombe, histoire de se faire offrir des consommations; et elle s'attablait très bien, sans afficher des airs dégoûtés comme la première fois, sifflant les verres d'un trait, traînant ses coudes pendant des heures et sortant de là avec les yeux hors de la tête. Lorsque Nana, en passant devant l'Assommoir, apercevait sa mère au fond, le nez dans la goutte, avachie au milieu des engueulades des hommes, elle était prise d'une colère bleue, parce que la jeunesse, qui a le

---

1. *Raclée* : « rossée (qui racle la peau) » [Delvau]; 2. *Torgnole* : soufflet ou coup de poing » (Delvau) — qui fait *tournoyer*; 3. Cf. p. 87, note 6; 4. *Laver* : « vendre à perte » (Delvau); 5. *Calotte* : gifle (fam.) — la gifle sur la tête ressemblant à une espèce de coiffure (calotte) qu'on ferait avec la main.

bec tourné à une autre friandise, ne comprend pas la boisson.
Ces soirs-là, elle avait un beau tableau, le papa pochard[1], la
maman pocharde, un tonnerre de Dieu de cambuse[2] où il n'y
avait pas de pain et qui empoisonnait la liqueur. Enfin, une
sainte ne serait pas restée là-dedans. Tant pis ! si elle prenait
de la poudre d'escampette[3] un de ces jours ; ses parents
pourraient bien faire leur *mea culpa*[4] et dire qu'ils l'avaient
eux-mêmes poussée dehors*(53).

[Le départ de Nana brise chez Gervaise les derniers ressorts
moraux : elle s'enivre pendant trois jours. Reprise comme ouvrière
par son ancienne patronne, Mme Fauconnier, elle tombe, d'humiliation en humiliation, au simple rang de laveuse. Quant à Coupeau,
la boisson lui a ôté toute conscience du bien et du mal. La folie
le guette.]

Maintenant, c'était réglé. Il ne dessoûlait pas de six mois,
puis il tombait et entrait à Sainte-Anne[5] ; une partie de
campagne pour lui. Les Lorilleux disaient que monsieur le
duc de Tord-Boyaux[6] se rendait dans ses propriétés. Au
bout de quelques semaines, il sortait de l'asile, réparé,
recloué, et recommençait à se démolir, jusqu'au jour où,
de nouveau sur le flanc, il avait encore besoin d'un raccommodage. En trois ans, il entra ainsi sept fois à Sainte-Anne.
Le quartier racontait qu'on lui gardait sa cellule. Mais le
vilain de l'histoire était que cet entêté soûlard se cassait
davantage chaque fois, si bien que, de rechute en rechute,
on pouvait prévoir la cabriole finale, le dernier craquement
de ce tonneau malade dont les cercles pétaient les uns après
les autres.

Avec ça, il oubliait d'embellir[7] ; un revenant à regarder*(54) ! Le poison le travaillait rudement. Son corps
imbibé d'alcool se ratatinait comme les fœtus qui sont dans
des bocaux, chez les pharmaciens. Quand il se mettait devant
une fenêtre, on apercevait le jour au travers de ses côtes,
tant il était maigre. Les joues creuses, les yeux dégouttants,
pleurant assez de cire pour fournir une cathédrale, il ne
gardait que sa truffe[8] de fleurie, belle et rouge, pareille à un
œillet au milieu de sa trogne dévastée. Ceux qui savaient

---

1. Cf. p. 84, note 4 ; **2.** Cf. p. 85, note 5 ; **3.** Expression pour : s'enfuir
(d'un vieux mot *escamper*) ; **4.** Se repentir de leur faute (mots latins tirés du
Confiteor) ; **5.** L'hôpital *Sainte-Anne*, siège de l'Institut de psychiatrie se trouve
près du boulevard Saint-Jacques. Il est réservé aux aliénés ; **6.** Pseudonyme
expressif et plaisant ; **7.** Façon populaire de dire qu'il n'embellissait pas ;
8. *Truffe :* « nez d'ivrogne » (Delvau).

son âge, quarante ans sonnés, avaient un petit frisson,
lorsqu'il passait, courbé, vacillant, vieux comme les rues.
Et le tremblement de ses mains redoublait, sa main droite
surtout battait tellement la breloque[1], que, certains jours,
il devait prendre son verre dans ses deux poings, pour le
porter à ses lèvres. Oh! ce nom de Dieu de tremblement!
c'était la seule chose qui le taquinât encore, au milieu de sa
vacherie[2] générale! On l'entendait grogner des injures féroces
contre ses mains. D'autres fois, on le voyait pendant des
heures en contemplation devant ses mains qui dansaient,
les regardant sauter comme des grenouilles, sans rien dire,
ne se fâchant plus, ayant l'air de chercher quelle mécanique
intérieure pouvait leur faire faire joujou de la sorte; et, un
soir, Gervaise l'avait trouvé ainsi, avec deux grosses larmes
qui coulaient sur ses joues cuites de pochard.

Le dernier été, pendant lequel Nana traîna chez ses
parents les restes de ses nuits, fut surtout mauvais pour
Coupeau. Sa voix changea complètement, comme si le fil-
en-quatre[3] avait mis une musique nouvelle dans sa gorge.
Il devint sourd d'une oreille. Puis, en quelques jours, sa vue
baissa; il lui fallait tenir la rampe de l'escalier, s'il ne voulait
pas dégringoler. Quant à sa santé, elle se reposait, comme on
dit. Il avait des maux de têtes abominables, des étourdisse-
ments qui lui faisaient voir trente-six chandelles. Tout d'un
coup, des douleurs aiguës le prenaient dans les bras et dans
les jambes; il pâlissait, il était obligé de s'asseoir, et restait
sur une chaise hébété pendant des heures; même, après une
de ces crises, il avait gardé son bras paralysé tout un jour.
Plusieurs fois, il s'alita; il se pelotonnait, se cachait sous le
drap, avec le souffle fort et continu d'un animal qui souffre.
Alors, les extravagances de Sainte-Anne recommençaient.
Méfiant, inquiet, tourmenté d'une fièvre ardente, il se roulait dans des rages folles, déchirait ses blouses, mordait les
meubles, de sa mâchoire convulsée; ou bien il tombait à
un grand attendrissement, lâchant des plaintes de fille, san-
glotant et se lamentant de n'être aimé par personne. Un soir,
Gervaise et Nana, qui rentraient ensemble, ne le trouvèrent
plus dans son lit. A sa place, il avait couché le traversin. Et,
quand elles le découvrirent, caché entre le lit et le mur, il
claquait des dents, il racontait que des hommes allaient

---

1. « Déraisonner comme une pendule détraquée » (Delvau). *Breloque* signifie
pendule, dans l'argot du peuple; **2.** Cf. p. 58, note 2; **3.** Cf. p. 98, note 5.

venir l'assassiner. Les deux femmes durent le recoucher et le rassurer comme un enfant★(**55**). [...]

XII

Ce devait être le samedi après le terme, quelque chose comme le 12 ou le 13 janvier, Gervaise ne savait plus au juste. Elle perdait la boule[1], parce qu'il y avait des siècles qu'elle ne s'était rien mis de chaud dans le ventre. Ah! quelle semaine infernale! un ratissage[2] complet, deux pains de quatre livres le mardi qui avaient duré jusqu'au jeudi, puis une croûte sèche retrouvée la veille, et pas une miette depuis trente-six heures, une vraie danse devant le buffet! Ce qu'elle savait, par exemple, ce qu'elle sentait sur son dos, c'était le temps de chien, un froid noir, un ciel barbouillé comme le cul d'une poêle, crevant d'une neige qui s'entêtait à ne pas tomber. Quand on a l'hiver et la faim dans les tripes, on peut serrer sa ceinture, ça ne vous nourrit guère★(**56**).

Peut-être, le soir, Coupeau rapporterait-il de l'argent. Il disait qu'il travaillait. Tout est possible, n'est-ce pas? et Gervaise, attrapée pourtant bien des fois, avait fini par compter sur cet argent-là. Elle, après toutes sortes d'histoires, ne trouvait plus seulement un torchon à laver dans le quartier; même une vieille dame dont elle faisait le ménage, venait de la flanquer dehors, en l'accusant de boire ses liqueurs. On ne voulait d'elle nulle part, elle était brûlée[3]; ce qui l'arrangeait dans le fond, car elle en était tombée à ce point d'abrutissement, où l'on préfère crever que de remuer ses dix doigts. Enfin, si Coupeau rapportait sa paie, on mangerait quelque chose de chaud. Et, en attendant, comme midi n'avait pas sonné, elle restait allongée sur la paillasse, parce qu'on a moins froid et moins faim, lorsqu'on est allongé.

Gervaise appelait ça la paillasse; mais, à la vérité, ça n'était qu'un tas de paille dans un coin. Peu à peu, le dodo[4] avait filé chez les revendeurs du quartier. D'abord, les jours de débine[5], elle avait décousu le matelas, où elle prenait des poignées de laine, qu'elle sortait dans son tablier et vendait

---

1. *La boule :* « la tête, dans l'argot du peuple » (Delvau); **2.** *Ratissage :* ruine complète (pop.); **3.** Cf. page 76, note 6; **4.** Le lit, dans le vocabulaire enfantin, auquel l'argot a beaucoup emprunté; **5.** *Débine :* « misère profonde » (Delvau).

dix sous la livre, rue Belhomme. Ensuite, le matelas vidé,
elle s'était fait trente sous de la toile, un matin, pour se
payer du café. Les oreillers avaient suivi, puis le traversin.
Restait le bois de lit, qu'elle ne pouvait mettre sous son bras,
à cause des Boche, qui auraient ameuté la maison, s'ils
avaient vu s'envoler la garantie du propriétaire. Et cependant, un soir, aidée de Coupeau, elle guetta les Boche en
train de gueuletonner, et déménagea le lit tranquillement,
morceau par morceau, les bateaux, les dossiers, le cadre de
fond. Avec les dix francs de ce lavage[1], ils fricotèrent[2] trois
jours. Est-ce que la paillasse ne suffisait pas ? Même la toile
était allée rejoindre celle du matelas ; ils avaient ainsi achevé
de manger le dodo, en se donnant une indigestion de pain,
après une fringale de vingt-quatre heures. On poussait la
paille d'un coup de balai, le poussier[3] était toujours retourné,
et ça n'était pas plus sale qu'autre chose.

Sur le tas de paille, Gervaise, tout habillée, se tenait en
chien de fusil[4], les pattes ramenées sous sa guenille de jupon,
pour avoir plus chaud. Et, pelotonnée, les yeux grands
ouverts, elle remuait des idées pas drôles, ce jour-là ! Ah !
non, sacré matin ! on ne pouvait continuer ainsi à vivre sans
manger ! Elle ne sentait plus sa faim ; seulement, elle avait
un plomb dans l'estomac, tandis que son crâne lui semblait
vide. Bien sûr, ce n'était pas aux quatre coins de la turne[5]
qu'elle trouvait des sujets de gaieté ! Un vrai chenil, maintenant, où les levrettes qui portent des paletots, dans les rues,
ne seraient pas demeurées en peinture[6]. Ses yeux pâles
regardaient les murailles nues. Depuis longtemps, ma tante[7]
avait tout pris. Il restait la commode, la table et une chaise ;
encore le marbre et les tiroirs de la commode s'étaient-ils
évaporés par le même chemin que le bois de lit. Un incendie
n'aurait pas mieux nettoyé ça, les petits bibelots avaient
fondu, à commencer par la toquante[8], une montre de douze

---

1. Cf. p.100,note 4 ; **2.** *Fricoter :* manger (pop.), avec une allusion à de bons petits fricots ; **3.** *Poussier :* « lit d'auberge ou d'hôtel garni de bas étage » (Del-vau). C'est sans doute l'image contenue dans ce terme d'argot qui a inspiré à Zola la description précédente ; **4.** *Dormir en chien de fusil*, « c'est, dans l'argot du peuple, prendre en dormant une posture qui donne au corps la forme d'un S, ou du morceau de fer qu'on abat sur le bassinet de certaines armes à feu lorsqu'on veut tirer » (Delvau) ; **5.** *Turne :* logis malpropre (pop., du vieux mot *tourme* — allemand *Turm* — qui signifiait : prison) ; **6.** Façon populaire de dire : absolument pas ; **7.** Encore un synonyme populaire de Mont-de-Piété (parce que celui qui avait mis sa montre en gage répondait : « Chez ma tante ! » quand on lui demandait où il l'avait mise) ; **8.** *Toquante :* « montre (harmonie imitative du *toc-toc* de la montre) » [Delvau].

francs, jusqu'aux photographies de la famille, dont une marchande lui avait acheté les cadres; une marchande bien complaisante, chez laquelle elle portait une casserole, un fer à repasser, un peigne, et qui lui allongeait cinq sous, trois sous, deux sous, selon l'objet, de quoi remonter avec un morceau de pain. A présent, il ne restait plus qu'une vieille paire de mouchettes[1] cassée, dont la marchande lui refusait un sou. Oh! si elle avait su à qui vendre les ordures, la poussière et la crasse, elle aurait vite ouvert boutique, car la chambre était d'une jolie saleté! Elle n'apercevait que des toiles d'araignée, dans les coins, et les toiles d'araignée sont peut-être bonnes pour les coupures[2], mais il n'y a pas encore de négociant qui les achète. Alors, la tête tournée, lâchant l'espoir de faire du commerce, elle se recroquevillait davantage sur sa paillasse, elle préférait regarder par la fenêtre le ciel chargé de neige, un jour triste qui lui glaçait la moelle des os*(57).

[Les Lorilleux refusent de lui prêter dix sous.]

Comme elle arrivait devant les Bijard, elle entendit des plaintes, elle entra, la clef étant toujours sur la serrure. « Qu'est-ce qu'il y a donc? » demanda-t-elle.

La chambre était très propre. On voyait bien que Lalie avait, le matin encore, balayé et rangé les affaires. La misère avait beau souffler là-dedans, emporter les frusques, étaler sa ribambelle[3] d'ordures, Lalie venait derrière, et récurait tout, et donnait aux choses un air gentil. Si ce n'était pas riche, ça sentait bon la ménagère, chez elle. Ce jour-là, ses deux enfants, Henriette et Jules, avaient trouvé de vieilles images, qu'ils découpaient tranquillement dans un coin. Mais Gervaise fut toute surprise de trouver Lalie couchée, sur son étroit lit de sangle, le drap au menton, très pâle. Elle couchée, par exemple! elle était donc bien malade!

« Qu'est-ce que vous avez! » répéta Gervaise, inquiète.

Lalie ne se plaignit plus. Elle souleva lentement ses paupières blanches, et voulut sourire de ses lèvres qu'un frisson convulsait.

« Je n'ai rien, souffla-t-elle très bas, oh! bien vrai, rien du tout. »

---

1. *Mouchettes* : espèce de ciseaux qui servent à *moucher* les bougies et les chandelles; 2. La croyance populaire attribue aux toiles d'araignée une vertu cicatrisante; 3. *Ribambelle* : « troupe nombreuse de choses ou de gens » (Delvau).

Puis, les yeux refermés, avec un effort :

« J'étais trop fatiguée tous ces jours-ci, alors je fiche la paresse[1], je me dorlote, vous voyez. »

Mais son visage de gamine, marbré de taches livides, prenait une telle expression de douleur suprême, que Gervaise, oubliant sa propre agonie, joignit les mains et tomba à genoux près d'elle. Depuis un mois, elle la voyait se tenir aux murs pour marcher, pliée en deux par une toux qui sonnait joliment le sapin[2]. La petite ne pouvait même plus tousser. Elle eut un hoquet, des filets de sang coulèrent aux coins de sa bouche.

« Ce n'est pas ma faute, je ne me sens guère forte, murmura-t-elle comme soulagée. Je me suis traînée, j'ai mis un peu d'ordre... C'est assez propre, n'est-ce pas ?... Et je voulais nettoyer les vitres, mais les jambes m'ont manqué. Est-ce bête ! Enfin, quand on a fini, on se couche. »

Elle s'interrompit, pour dire :

« Voyez donc si mes enfants ne se coupent pas avec leurs ciseaux. »

Et elle se tut, tremblante, écoutant un pas lourd qui montait l'escalier. Brutalement, le père Bijard poussa la porte. Il avait son coup de bouteille à l'ordinaire, les yeux flambants de la folie furieuse du vitriol[3]. Quand il aperçut Lalie couchée, il tapa sur ses cuisses avec un ricanement, il décrocha le grand fouet, en grognant :

« Ah ! nom de Dieu, c'est trop fort ! nous allons rire !... Les vaches se mettent à la paille[4] en plein midi, maintenant !... Est-ce que tu te moques des paroissiens[5], sacré feignante ?... Allons, houp, décanillons[6] ! »

Il faisait déjà claquer le fouet au-dessus du lit. Mais l'enfant, suppliante, répétait :

« Non, papa, je t'en prie, ne frappe pas... Je te jure que tu aurais du chagrin... Ne frappe pas.

— Veux-tu sauter, gueula-t-il plus fort, ou je te chatouille les côtes !... Veux-tu sauter, bougre de rosse ! »

Alors, elle dit doucement :

« Je ne puis pas, comprends-tu ?... Je vais mourir. »

Gervaise s'était jetée sur Bijard et lui arrachait le fouet. Lui, hébété, restait devant le lit de sangle. Qu'est-ce qu'elle

---

1. Je fais la paresseuse (pop.) ; **2.** C'est le bois dont on fait le cercueil des pauvres ; **3.** Cf. p. 35, note 7 ; **4.** Cf. p. 58, note 2 ; **5.** Les gens (pop.) ; **6.** *Décaniller :* « déguerpir, partir comme un chien (lat. *canis*) » [Delvau].

chantait là, cette morveuse[1] ? Est-ce qu'on meurt si jeune, quand on n'a pas été malade ! Quelque frime pour se faire donner du sucre ! Ah ! il allait se renseigner, et si elle mentait !

« Tu verras, c'est la vérité, continuait-elle. Tant que j'ai pu, je vous ai évité de la peine... Sois gentil, à cette heure, et dis-moi adieu, papa. »

Bijard tortillait son nez, de peur d'être mis dedans[2]. C'était pourtant vrai qu'elle avait une drôle de figure, une figure allongée et sérieuse de grande personne. Le souffle de la mort, qui passait dans la chambre, le dessoûlait. Il promena un regard autour de lui, de l'air d'un homme tiré d'un long sommeil, vit le ménage en ordre, les deux enfants débarbouillés, en train de jouer et de rire. Et il tomba sur une chaise, balbutiant :

« Notre petite mère, notre petite mère... »

Il ne trouvait que ça, et c'était déjà bien tendre pour Lalie, qui n'avait jamais été tant gâtée. Elle consola son père. Elle était surtout ennuyée de s'en aller ainsi, avant d'avoir élevé tout à fait ses enfants. Il en prendrait soin, n'est-ce pas ? Elle lui donna de sa voix mourante des détails sur la façon de les arranger, de les tenir propres. Lui, abruti, repris par les fumées de l'ivresse, roulait la tête en la regardant passer de ses yeux ronds. Ça remuait en lui toutes sortes de choses ; mais il ne trouvait plus rien, et avait la couenne[3] trop brûlée pour pleurer.

« Écoute encore, reprit Lalie après un silence. Nous devons quatre francs sept sous au boulanger ; il faudra payer ça... Mme Gaudron a un fer à nous que tu lui réclameras... Ce soir, je n'ai pas pu faire de la soupe, mais il reste du pain, et tu mettras chauffer les pommes de terre... »

Jusqu'à son dernier râle, ce pauvre chat restait la petite mère de tout son monde. En voilà une qu'on ne remplacerait pas, bien sûr ! Elle mourait d'avoir eu à son âge la raison d'une vraie mère, la poitrine encore trop tendre et trop étroite pour contenir une aussi large maternité. Et, s'il perdait ce trésor, c'était bien la faute de sa bête féroce de père. Après avoir tué la maman d'un coup de pied, est-ce qu'il ne venait pas de massacrer la fille ! Les deux bons anges

---

1. Comme *rosse*, ce terme (Delvau) s'emploie pour les mauvais chevaux ; **2.** Être mis dans l'erreur (pop.) ; **3.** *Couenne* : peau (pop.). La *couenne* est proprement la peau du porc.

seraient dans la fosse, et lui n'aurait plus qu'à crever comme un chien au coin d'une borne.

Gervaise, cependant, se retenait pour ne pas éclater en sanglots. Elle tendait les mains, avec le désir de soulager l'enfant; et, comme le lambeau de drap glissait, elle voulut le rabattre et arranger le lit. Alors, le pauvre petit corps de la mourante apparut. Ah! Seigneur! quelle misère et quelle pitié! Les pierres auraient pleuré. Lalie était toute nue, un reste de camisole aux épaules en guise de chemise; oui, toute nue, et d'une nudité saignante et douloureuse de martyre. Elle n'avait plus de chair, les os trouaient la peau. Sur les côtes, de minces zébrures violettes descendaient jusqu'aux cuisses, les cinglements du fouet imprimés là tout vifs. Une tache livide cerclait le bras gauche, comme si la mâchoire d'un étau avait broyé ce membre si tendre, pas plus gros qu'une allumette. La jambe droite montrait une déchirure mal fermée, quelque mauvais coup rouvert chaque matin en trottant pour faire le ménage. Des pieds à la tête, elle n'était qu'un noir. Oh! ce massacre de l'enfance, ces lourdes pattes d'homme écrasant cet amour de quiqui[1], cette abomination de tant de faiblesse râlant sous une pareille croix! [...] Gervaise, de nouveau, s'était accroupie, ne songeant plus à tirer le drap, renversée par la vue de ce rien du tout pitoyable, aplati au fond du lit; et ses lèvres tremblantes cherchaient des prières.

« Madame Coupeau, murmura la petite, je vous en prie... »

De ses bras trop courts, elle cherchait à rabattre le drap, toute pudique, prise de honte pour son père. Bijard, stupide, les yeux sur ce cadavre qu'il avait fait, roulait toujours la tête, du mouvement ralenti d'un animal qui a de l'embêtement[2].

---

1. Mot familier et tendre; 2. Voici le texte de Louis Ratisbonne, paru dans *l'Evénement* en 1869, qu'on a retrouvé dans les papiers de Zola, et dont il s'est inspiré :

« J'ai connu une grande sœur. — Elle avait bien douze ans. — Sa mère était morte. — Elle se fit mère des trois petits orphelins comme elle. Elle les débarbouillait, leur apprenait à lire, tenait le ménage et ne manquait pas d'aller au chantier porter la soupe à son père. Le père était adonné à la boisson et elle avait hérité des coups qu'il distribuait à sa mère de son vivant, chaque fois qu'il revenait du cabaret. De fatigue et de peine, elle tomba en langueur, mais elle ne se coucha pas. Toute malade qu'elle était, elle restait debout, couvrant toujours la petite nichée de sa protection et des soins les plus tendres. A la fin, le mal empira.

« Un jour, le père entra ivre et furieux.

« Où es-tu, malheureuse? Que je cogne!

« — Ici, » dit la petite.

Et quand elle eut recouvert Lalie, Gervaise ne put rester là davantage. La mourante s'affaiblissait, ne parlant plus, n'ayant plus que son regard, son ancien regard noir de petite fille résignée et songeuse, qu'elle fixait sur ses deux enfants, en train de découper leurs images. La chambre s'emplissait d'ombre, Bijard cuvant sa bordée[1] dans l'hébétement de cette agonie. Non, non, la vie était trop abominable! Ah! quelle sale chose! ah! quelle sale chose! Et Gervaise partit, descendit l'escalier, sans savoir, la tête perdue, si gonflée d'emmerdement qu'elle se serait volontiers allongée sous les roues d'un omnibus, pour en finir*(58).

Tout en courant, en bougonnant contre le sacré sort, elle se trouva devant la porte du patron, où Coupeau prétendait travailler. Ses jambes l'avaient conduite là, son estomac reprenait sa chanson, la complainte de la faim en quatre-vingt-dix couplets, une complainte qu'elle savait par cœur. De cette manière, si elle pinçait Coupeau à la sortie, elle mettrait la main sur la monnaie, elle achèterait les provisions. Une petite heure d'attente au plus, elle avalerait bien encore ça, elle qui se suçait les pouces depuis la veille.

C'était rue de la Charbonnière, à l'angle de la rue de Chartres, un fichu carrefour dans lequel le vent jouait aux quatre coins[2]. Nom d'un chien! il ne faisait pas chaud, à arpenter le pavé. Encore si l'on avait eu des fourrures! Le ciel restait d'une vilaine couleur de plomb, et la neige, amassée là-haut, coiffait le quartier d'une calotte de glace. Rien ne tombait, mais il y avait un gros silence en l'air, qui apprêtait pour Paris un déguisement complet, une jolie robe de bal, blanche et neuve. Gervaise levait le nez, en priant le bon Dieu de ne pas lâcher sa mousseline[3] tout de suite. Elle tapait des pieds, regardait une boutique d'épicier, en face, puis tournait les talons, parce que c'était inutile de se donner trop faim à l'avance. Le carrefour n'offrait pas de

« Et le père la voyant étendue cette fois, toute livide sur son lit, les enfants pleurant près d'elle, fut dégrisé subitement.

« Il tomba à genoux.

« Ah! ma petite mère, qu'as-tu?

« — Je vais mourir, père. Je te recommande les enfants. Aies-en bien soin, « je te prie. »

« Et ce fut le dernier mot de cette mère qui avait douze ans. »

1. Dans la langue des marins, tirer une *bordée*, c'est aller à terre clandestinement pour y faire ripaille; **2.** Changeait sans cesse de direction, comme font les enfants qui jouent à ce jeu; **3.** *Mousseline* : tissu de coton très blanc et très fin. Cette image populaire est préparée par la phrase qui précède.

distractions. Les quelques passants filaient roides, entor-
tillés dans des cache-nez; car, naturellement, on ne flâne
pas, quand le froid vous serre les fesses. Cependant, Gervaise aperçut quatre ou cinq femmes qui montaient la
garde comme elle, à la porte du maître zingueur; encore des
malheureuses, bien sûr, des épouses guettant la paie, pour
l'empêcher de s'envoler chez le marchand de vin. Il y avait
une grande haridelle[1], une figure de gendarme[2], collée
contre le mur, prête à sauter sur le dos de son homme. Une
petite, toute noire, l'air humble et délicat, se promenait de
l'autre côté de la chaussée. Une autre, empotée, avait amené
ses deux mioches, qu'elle traînait à droite et à gauche, gre-
lottant et pleurant. Et toutes, Gervaise comme ses camarades
de faction, passaient et repassaient, en se jetant des coups
d'œil obliques, sans se parler. Une agréable rencontre! ah!
oui, je t'en fiche[3]! Elles n'avaient pas besoin de lier connaissance, pour connaître leur numéro. Elles logeaient toutes
à la même enseigne chez misère et compagnie. Ça donnait
plus froid encore, de les voir piétiner et se croiser silencieu-
sement dans cette terrible température de janvier★(**59**).

Pourtant, pas un chat ne sortait de chez le patron. Enfin
un ouvrier parut, puis deux, puis trois; mais ceux-là, sans
doute, étaient de bons zigs[4], qui rapportaient fidèlement
leur prêt[5], car ils eurent un hochement de tête en apercevant
les ombres rôdant devant l'atelier. La grande haridelle se
collait davantage à côté de la porte; et, tout d'un coup, elle
tomba sur un petit homme pâlot, en train d'allonger prudem-
ment la tête. Oh! ce fut vite réglé! elle le fouilla, lui ratissa
la monnaie[6]. Pincé, plus de braise[7], pas de quoi boire une
goutte! Alors, le petit homme, vexé et désespéré, suivit son
gendarme en pleurant de grosses larmes d'enfant★(**60**). Des
ouvriers sortaient toujours, et comme la forte commère,
avec ses deux mioches, s'était approchée, un grand brun,
l'air roublard[8], qui l'aperçut, rentra vivement pour prévenir

---

1. *Haridelle* : vieux cheval maigre; **2.** Virago (pop.); **3.** « Se dit pour défier
quelqu'un de faire telle ou telle chose » (Delvau); **4.** Cf. p.64, note 11; **5.** *Prêt* :
salaire (on ne parle plus guère, dans ce sens, que du *prêt* du soldat); **6.** Cf. p.103,
note 2; **7.** *Braise* : « argent » (Delvau). Allusion à sa première utilité : sans
braise, on ne peut pas faire bouillir la marmite; **8.** *Roublard* : « rusé, adroit,
qui a vécu, qui a de l'expérience, dans l'argot des faubouriens. Si ce mot vient
de quelque part, c'est du XVe siècle, et de *ribleux*, qui signifiait : homme de
mauvaise vie, vagabond, coureur d'aventures » (Delvau). Mais d'autres font
venir ce mot de *rouble*, les nobles russes s'étant spécialisés dans une certaine
sorte d'escroquerie, qui ravageait, au XIXe siècle, les salles de jeu.

le mari; lorsque celui-ci arriva en se dandinant, il avait étouffé[1] deux roues de derrière[2], deux belles pièces de cent sous neuves, une dans chaque soulier. Il prit l'un de ses gosses sur son bras, il s'en alla en contant des craques[3] à sa bourgeoise qui le querellait. Il y en avait de rigolos, sautant d'un bond dans la rue, pressés de courir béquiller[4] leur quinzaine avec les amis. Il y en avait aussi de lugubres, la mine rafalée[5], serrant dans leur poing crispé les trois ou quatre journées sur quinze qu'ils avaient faites, se traitant de feignants[6] et faisant des serments d'ivrogne. Mais le plus triste, c'était la douleur de la petite femme noire, humble et délicate : son homme, un beau garçon, venait de se cavaler[7] sous son nez, si brutalement qu'il avait failli la jeter par terre; et elle rentrait seule, chancelant le long des boutiques, pleurant toutes les larmes de son corps.

Enfin, le défilé avait cessé. Gervaise, droite au milieu de la rue, regardait la porte. Ça commençait à sentir mauvais[8]. Deux ouvriers attardés se montrèrent encore, mais toujours pas de Coupeau. Et, comme elle demandait aux ouvriers si Coupeau n'allait pas sortir, eux qui étaient à la couleur[9], lui répondirent en blaguant que le camarade venait tout juste de filer avec Lantimêche[10] par une porte de derrière, pour mener les poules pisser. Gervaise comprit. Encore une menterie de Coupeau, elle pouvait aller voir s'il pleuvait! Alors, lentement, traînant sa paire de ripatons[11] éculés, elle descendit la rue de la Charbonnière. Son dîner courait joliment devant elle, et elle le regardait courir, dans le crépuscule jaune, avec un petit frisson. Cette fois, c'était fini. Pas un fifrelin[12], plus un espoir, plus que de la nuit et de la faim. Ah! une belle nuit de crevaison, cette nuit sale qui tombait sur ses épaules*(**61**)!

1. *Étouffer :* cacher (argot); 2. Surnom populaire de la pièce de cinq francs en argent (on disait aussi : roue de brouette); 3. Cf. p. 86, note 7; 4. La *béquille,* en argot, est la potence, qui ressemble en effet à une béquille monumentale. *Béquiller* signifie donc: faire disparaître, sacrifier, manger; 5. *Rafalée :* misérable (la *rafale,* ou *raffale,* en argot, c'est le malheur, la malchance); 6. Cette orthographe correspond à la prononciation populaire de *fainéant ;* 7. Cf. p. 93, note 6; 8. Devenir inquiétant (pop.); 9. Être complice (comme au jeu de cartes); 10. *Lantimêche :* « imbécile, jocrisse, dans le langage des faubouriens » (Delvau). Synonyme populaire de Chose, Machin... Ce fut d'abord le surnom de l'allumeur de réverbère (l'antimêche): on sait que les becs de gaz n'ont pas de mêche. Les complices de Coupeau se moquent de Gervaise, comme l'indique aussi le prétexte allégué plus loin, dont l'expression imagée est dans Delvau; 11. *Ripatons :* souliers (pop.); 12. *Fifrelin :* « monnaie imaginaire fabriquée par le peuple et valant pour lui cent fois moins que rien » (Delvau). Emprunté à l'allemand *Pfifferling.*

[Elle tombe enfin sur Coupeau, qui vient de boire sa paie jusqu'au dernier sou, et qui la renvoie mendier son pain comme elle pourra, sur le boulevard.]

Ce quartier, où elle éprouvait une honte, tant il embellissait, s'ouvrait maintenant de toutes parts au grand air. Le boulevard Magenta, montant du cœur de Paris, et le boulevard Ornano[1], s'en allant dans la campagne, l'avaient troué à l'ancienne barrière, un fier abattis de maisons, deux vastes avenues encore blanches de plâtre, qui gardaient à leurs flancs les rues du Faubourg-Poissonnière et des Poissonniers, dont les bouts s'enfonçaient, écornés, mutilés, tordus comme des boyaux sombres. Depuis longtemps, la démolition du mur de l'octroi avait déjà élargi les boulevards extérieurs, avec les chaussées latérales et le terre-plein au milieu pour les piétons, planté de quatre rangées de petits platanes. C'était un carrefour immense débouchant au loin sur l'horizon, par des voies sans fin, grouillantes de foule, se noyant dans le chaos perdu des constructions. Mais, parmi les hautes maisons neuves, bien des masures branlantes restaient debout; entre les façades sculptées, des enfoncements noirs se creusaient, des chenils bâillaient, étalant les loques de leurs fenêtres. Sous le luxe montant de Paris, la misère du faubourg crevait et salissait ce chantier d'une ville nouvelle, si hâtivement bâtie*(**62**).

Perdue dans la cohue du large trottoir, le long des petits platanes, Gervaise se sentait seule et abandonnée. Ces échappées d'avenues, tout là-bas, lui vidaient l'estomac davantage; et dire que, parmi ce flot de monde, où il y avait pourtant des gens à leur aise, pas un chrétien ne devinait sa situation et ne lui glissait dix sous dans la main! Oui, c'était trop grand, c'était trop beau, sa tête tournait et ses jambes s'en allaient, sous ce pan démesuré de ciel gris, tendu au-dessus d'un si vaste espace. Le crépuscule avait cette sale couleur jaune des crépuscules parisiens, une couleur qui donne envie de mourir tout de suite, tellement la vie des rues semble laide. L'heure devenait louche, les lointains se brouillaient d'une teinte boueuse. Gervaise, déjà lasse, tombait justement en plein dans la rentrée des ouvriers. A cette heure, les dames en chapeau, les messieurs bien mis habitant les maisons neuves, étaient noyés au milieu du

---

1. Aujourd'hui boulevard Barbès. Voir le début du chap. Ier.

Illustration
d'Auguste Renoir
pour
« l'Assommoir ».

Collection
Percy Moore Turner
(Londres).

Phot. Giraudon.

peuple, des processions d'hommes et de femmes encore
blêmes de l'air vicié des ateliers. Le boulevard Magenta et
la rue du Faubourg-Poissonnière en lâchaient des bandes,
essoufflées de la montée. Dans le roulement plus assourdi
des omnibus et des fiacres, parmi les haquets, les tapissières[1], les fardiers[2], qui rentraient vides et au galop, un
pullulement toujours croissant de blouses et de bourgerons[3] couvrait la chaussée. Les commissionnaires[4] revenaient,
leurs crochets sur les épaules. Deux ouvriers, allongeant le
pas, faisaient côte à côte de grandes enjambées, en parlant
très fort, avec des gestes, sans se regarder; d'autres, seuls,
en paletot et en casquette, marchaient au bord du trottoir,
le nez baissé; d'autres venaient par cinq ou six, se suivant
et n'échangeant pas une parole, les mains dans les poches,
les yeux pâles. Quelques-uns gardaient leurs pipes éteintes
entre les dents. Des maçons, dans un sapin[5], qu'ils avaient
frété[6] à quatre, et sur lequel dansaient leurs auges[7], passaient en montrant leurs faces blanches aux portières. Des
peintres balançaient leurs pots à couleur; un zingueur
rapportait une longue échelle, dont il manquait d'éborgner
le monde; tandis qu'un fontainier[8], attardé, avec sa boîte
sur le dos, jouait l'air du bon roi Dagobert dans sa petite
trompette, un air de tristesse au fond du crépuscule navré.
Ah! la triste musique, qui semblait accompagner le piétinement du troupeau, les bêtes de somme se traînant, érein-
tées! Encore une journée de finie! Vrai, les journées étaient
longues et recommençaient trop souvent. A peine le temps
de s'emplir et de cuver son manger, il faisait déjà grand
jour, il fallait reprendre son collier de misère. Les gaillards
pourtant sifflaient, tapant des pieds, filant raides, le
bec tourné vers la soupe. Et Gervaise laissait couler la
cohue, indifférente aux chocs, coudoyée à droite, coudoyée à gauche, roulée au milieu du flot; car les hommes
n'ont pas le temps de se montrer galants, quand ils sont

---

1. *Tapissière* : voiture de déménagement pourvue d'un toit; 2. *Fardier* :
voiture basse à quatre roues pour le transport des lourds fardeaux; 3. Cf.
p. 32, note 2; 4. *Commissionnaire* : homme dont le métier est de porter les
bagages, de faire les *commissions* des voyageurs, etc. (ce sont les « porteurs »
d'aujourd'hui). Ces portefaix usaient de *crochets* pour porter leur charge (on
les appelait jadis *crocheteurs*); 5. *Sapin* : fiacre (pop.); 6. *Fréter* : se dit proprement d'un bateau qu'on prend en louage; 7. *Auge* : espèce de boîte en bois,
dans laquelle les maçons gâchent et transportent leur mortier; 8. *Fontainier* :
petit artisan qui s'occupe de réparer et d'entretenir les pompes et fontaines
privées ou publiques.

cassés en deux de fatigue et galopés[1] par la faim★(**63**).

Brusquement, en levant les yeux, la blanchisseuse aperçut devant elle l'ancien hôtel Boncœur. La petite maison, après avoir été un café suspect, que la police avait fermé, se trouvait abandonnée, les volets couverts d'affiches, la lanterne cassée, s'émiettant et se pourrissant du haut en bas sous la pluie, avec les moisissures de son ignoble badigeon lie de vin. Et rien ne paraissait changé autour d'elle. Le papetier et le marchand de tabac étaient toujours là. Derrière, par-dessus les constructions basses, on apercevait encore des façades lépreuses de maisons à cinq étages, haussant leurs grandes silhouettes délabrées. Seul, le bal du *Grand-Balcon* n'existait plus; dans la salle aux dix fenêtres flambantes venait de s'établir une scierie de sucre[2], dont on entendait les sifflements continus. C'était pourtant là, au fond de ce bouge de l'hôtel Boncœur, que toute la sacrée vie avait commencé. Elle restait debout, regardant la fenêtre du premier, où une persienne arrachée pendait, et elle se rappelait sa jeunesse avec Lantier, leurs premiers attrapages, la façon dégoûtante dont il l'avait lâchée. N'importe, elle était jeune, tout ça lui semblait gai, vu de loin. Vingt ans seulement, mon Dieu! et elle tombait au trottoir. Alors, la vue de l'hôtel lui fit mal, elle remonta le boulevard du côté de Montmartre★(**64**).

Sur les tas de sable, entre les bancs, des gamins jouaient encore, dans la nuit croissante. Le défilé continuait, les ouvrières passaient, trottant, se dépêchant, pour rattraper le temps perdu aux étalages; une grande, arrêtée, laissait sa main dans celle d'un garçon, qui l'accompagnait à trois portes de chez elle; d'autres, en se quittant, se donnaient des rendez-vous pour la nuit, au *Grand Salon de la Folie* ou à la *Boule Noire*. Au milieu des groupes, des ouvriers à façon[3] s'en retournaient, leurs toilettes[4] pliées sous le bras. Un fumiste, attelé à des bricoles[5] tirant une voiture remplie de gravats, manquait de se faire écraser par un omnibus. Cependant, parmi la foule plus rare, couraient des femmes

---

1. Cet emploi transitif de *galoper* est attesté abondamment par Littré, qui note le sens familier : « la fièvre le galope » chez plusieurs auteurs anciens; 2. C'est l'époque où les *pains de sucre* font place à notre actuel *sucre en morceaux* ; 3. « Ouvrier à qui l'on fournit la matière qu'il doit mettre en œuvre, et à qui l'on paie, pour la façon, un prix convenu » (Larousse); 4. *Toilette* : « la *toilette* est un morceau de serge verte dans lequel les cordonniers enveloppent les souliers qu'ils portent à leurs pratiques » (Delvau). En réalité, d'autres corps de métier se servent aussi de la *toilette* pour transporter leur marchandise; 5. *Bricoles* : espèces de sangles qui permettent de tirer une voiture à bras.

en cheveux, redescendues après avoir allumé le feu, et se hâtant pour le dîner ; elles bousculaient le monde, se jetaient chez les boulangers et les charcutiers, repartaient sans traîner, avec des provisions dans les mains. Il y avait des petites filles de huit ans, envoyées en commission, qui s'en allaient le long des boutiques, serrant sur leur poitrine de grands pains de quatre livres aussi hauts qu'elles, pareils à de belles poupées jaunes, et qui s'oubliaient pendant des cinq minutes devant des images, la joue appuyée contre leurs grands pains. Puis, le flot s'épuisait, les groupes s'espaçaient, le travail était rentré ; et, dans les flamboiements du gaz, après la journée finie, montait la sourde revanche des paresses et des noces qui s'éveillaient[1]★(65).

Ah ! oui, Gervaise avait fini sa journée ! Elle était plus éreintée que tout ce peuple de travailleurs, dont le passage venait de la secouer. Elle pouvait se coucher là et crever, car le travail ne voulait plus d'elle, et elle avait assez peiné dans son existence, pour dire : « A qui le tour ? moi, j'en ai ma claque[2] ! » Tout le monde mangeait, à cette heure. C'était bien la fin, le soleil avait soufflé sa chandelle, la nuit serait longue. Mon Dieu ! s'étendre à son aise et ne plus se relever, penser qu'on a remisé ses outils pour toujours et qu'on fera la vache[3] éternellement ! Voilà qui est bon, après s'être esquintée[4] pendant vingt ans ! Et Gervaise, dans les crampes qui lui tordaient l'estomac, pensait malgré elle aux jours de fête, aux gueuletons et aux rigolades de sa vie. Une fois surtout, par un froid de chien, un jeudi de la

---

1. Parmi les notes de travail de *l'Assommoir* se trouve une petite feuille écrite au crayon, où Zola a jeté sur le vif le spectacle que lui offrait le boulevard extérieur : « *Beaucoup de femmes en cheveux ; quelques-unes en bonnet, beaucoup en filet ; des caracos, des tabliers, des jupes molles tombant droit. Une débandade d'enfants mal mouchés, quelques-uns propres, beaucoup sales. Les jeux, la corde, etc. Des femmes assises avec des enfants au bras, au sein. Des ouvrières propres, presque coquettes ; les paniers, les paquets, les crochets. Des ouvriers en blouse, en bourgeron, en paletot ; les uns portent des outils, les autres vont les bras ballants ; quelques-uns portent des enfants. Les femmes en course pour le dîner. Des voitures, des tapissières rentrant à vide. Les omnibus et les fiacres plus tard.*

« *... Homme avec une échelle. Enfants jouant avec un tas de sable. Femmes en cheveux courant pour le dîner, panier à la main ; les petites filles avec un pain. Des hommes parlant fort avec des hommes marchant vite. Les ouvriers. Des femmes avec des enfants. Des hommes avec des toilettes ; en paletot et casquette, fumant ou non, qui courent ou qui s'arrêtent. Les maçons dans les fiacres. Les haquets, les tonneaux, du plâtre non vidé ; chariots. Paris qui allume son gaz. Le ciel. Les mains dans les poches. Fontainier avec sa trompette ; tout seul ou en groupes. Des peintres avec leur pot de peinture. Des hommes traînant des voitures avec des bretelles. Les ceintures.* » Il est intéressant de comparer ces notes au texte de *l'Assommoir* ; **2.** J'en ai assez (pop.). *Claquer*, c'est mourir ; **3.** Cf. p. 58, note 2 ; **4.** *S'esquinter* : « Se fatiguer à travailler » (Delvau).

mi-carême, elle avait joliment nocé. Elle était bien gentille, blonde et fraîche, en ce temps-là. Son lavoir, rue Neuve, l'avait nommée reine, malgré sa jambe. Alors, on s'était baladé sur les boulevards, dans des chars ornés de verdure, au milieu du beau monde qui la reluquait[1] joliment. Des messieurs mettaient leurs lorgnons comme pour une vraie reine. Puis, le soir, on avait fichu un balthazar[2] à tout casser, et jusqu'au jour on avait joué des guibolles[3]. Reine, oui, reine! avec une couronne et une écharpe, pendant vingt-quatre heures, deux fois le tour du cadran! Et, alourdie, dans les tortures de sa faim, elle regardait par terre, comme si elle eût cherché le ruisseau où elle avait laissé choir sa majesté tombée.

[Gervaise n'a trouvé que le père Bru, mendiant comme elle; puis Goujet, toujours fidèle à son vieil amour, qui la réconforte un moment. Mais cette dernière rencontre l'a achevée. Enviant le sort de la petite Lalie, elle appelle la mort, elle supplie son voisin, le croque-mort Bazouge, de l'emporter...]

XIII

[Chez Coupeau, les ravages de l'alcool s'accentuent. C'est l'anéantissement complet de la raison, puis des sens, enfin la paralysie partielle et le *delirium tremens*, qui le cloue à Sainte-Anne, dans une cellule capitonnée. A demi abêtie elle-même, Gervaise assiste à la fin de son mari avant de disparaître à son tour.]

[...] Le lendemain, les Boche la virent partir à midi, comme les deux autres jours. Ils lui souhaitaient bien de l'agrément. Ce jour-là, à Sainte-Anne[4], le corridor tremblait des gueulements et des coups de talon de Coupeau. Elle tenait encore la rampe de l'escalier, qu'elle l'entendit hurler :

« En v'la des punaises!... Rappliquez un peu par ici, que je vous désosse!... Ah! ils veulent m'escoffier[5], ah! les punaises!... Je suis plus rupin[6] que vous tous! Décarrez[7], nom de Dieu! »

---

1. *Reluquer :* « considérer, regarder avec attention » (Delvau); **2.** *Balthazar :* « repas copieux » (Delvau). Allusion au fameux festin biblique; **3.** Ici : danser, — et non pas « s'enfuir », comme traduit Delvau; **4.** Cf. p. 101, note 5; **5.** *Escoffier :* « tuer » (Delvau). D'après un mot espagnol : enlever la coiffe; **6.** *Rupin :* riche (pop.); **7.** *Décarrer :* « s'en aller de quelque part, s'enfuir » (Delvau).

Un instant, elle souffla devant la porte. Il se battait donc avec une armée! Quand elle entra, ça croissait et ça embellissait. Coupeau était fou furieux, un échappé de Charenton[1]★(66). Il se démenait au milieu de la cellule, envoyant les mains partout, sur lui, sur les murs, par terre, culbutant, tapant dans le vide; et il voulait ouvrir la fenêtre, et il se cachait, se défendait, appelait, répondait, tout seul pour faire ce sabbat[2], de l'air exaspéré d'un homme cauchemardé[3] par une flopée[4] de monde. Puis, Gervaise comprit qu'il s'imaginait être sur un toit, en train de poser des plaques de zinc. Il faisait le soufflet avec sa bouche, il remuait des fers dans le réchaud, se mettait à genoux, pour passer le pouce sur les bords du paillasson, en croyant qu'il le soudait. Oui, son métier lui revenait, au moment de crever; et s'il gueulait si fort, s'il se crochait[5] sur son toit, c'était que des mufes[6] l'empêchaient d'exécuter proprement son travail. Sur tous les toits voisins, il y avait de la fripouille[7] qui le mécanisait[8]. Avec ça, ces blagueurs lui lâchaient des bandes de rats dans les jambes. Ah! les sales bêtes, il les voyait toujours! Il avait beau les écraser, en frottant son pied sur le sol de toutes ses forces, il en passait de nouvelles ribambelles[9], le toit en était noir. Est-ce qu'il n'y avait pas des araignées aussi! Il serrait rudement son pantalon pour tuer contre sa cuisse de grosses araignées, qui s'étaient fourrées là. Sacré tonnerre! il ne finirait jamais sa journée, on voulait le perdre, son patron allait l'envoyer à Mazas[10]. Alors, en se dépêchant, il crut qu'il avait une machine à vapeur dans le ventre; la bouche grande ouverte, il soufflait de la fumée, une fumée épaisse qui emplissait la cellule et qui sortait par la fenêtre; et, penché, soufflant toujours, il regardait dehors le ruban de fumée se dérouler, monter dans le ciel, où il cachait le soleil.

---

1. *Charenton* : faubourg de Paris où se trouve un asile d'aliénés célèbre, fondé au XVIIe siècle; nombreuses sont les expressions proverbiales où il y est fait allusion; 2. *Sabbat* : grand bruit accompagné de désordres et de confusion, comme on imagine celui du sabbat des sorcières; 3. *Cauchemardé* : tourmenté au point d'avoir la sensation d'un cauchemar (d'après Delvau); 4. *Flopée* : «foule, dans l'argot des faubouriens, qui disent cela à propos des choses comme à propos des gens » (Delvau); 5. *Se crocher* : « se battre à coups de poings et de pieds, comme les crocheteurs » (Delvau); 6. Cf. p.63, note 3; 7. *Fripouille* : «gens malhonnêtes, la canaille » (Delvau); 8. *Mécaniser* : «vexer quelqu'un, le tourmenter, se moquer de lui. » (Delvau); 9. *Ribambelle*s : cf. p.105, note 3; 10. *Mazas* : prison de Paris célèbre au XIXe siècle. Elle se trouvait sur l'actuel boulevard Diderot; construite en 1845-1850, elle fut démolie en 1898.

« Tiens! cria-t-il, c'est la bande de la chaussée Clignancourt[1], déguisée en ours, avec des flafla[2]... »

Il restait accroupi devant la fenêtre, comme s'il avait suivi un cortège dans une rue, du haut d'une toiture.

« V'la la cavalcade, des lions et des panthères qui font des grimaces... Il y a des mômes habillés en chiens et en chats... Il y a la grande Clémence, avec sa tignasse[3] pleine de plumes. Ah! sacredié! elle fait la culbute!... [...] Dis donc, ma biche, faut nous carapatter[4]... Eh! bougres de roussins[5], voulez-vous bien ne pas la prendre!... Ne tirez pas, tonnerre! ne tirez pas... »

Sa voix montait, rauque, épouvantée, et il se baissait vivement, répétant que la rousse et les pantalons rouges[6] étaient en bas, des hommes qui le visaient avec des fusils. Dans le mur, il voyait le canon d'un pistolet braqué sur sa poitrine. On venait lui reprendre la fille.

« Ne tirez pas, nom de Dieu! ne tirez pas. »

Puis, les maisons s'effondraient, il imitait le craquement d'un quartier qui croule; et tout disparaissait, tout s'envolait. Mais il n'avait pas le temps de souffler, d'autres tableaux passaient, avec une mobilité extraordinaire. Un besoin furieux de parler lui remplissait la bouche de mots, qu'il lâchait sans suite, avec un barbotement de la gorge. Il haussait toujours la voix.

« Tiens, c'est toi, bonjour!... Pas de blague! ne me fais pas manger tes cheveux. »

Et il passait la main devant son visage, il soufflait pour écarter des poils. L'interne l'interrogea :

« Qui voyez-vous donc ?

— Ma femme, pardi! »

Il regardait le mur, tournant le dos à Gervaise.

Celle-ci eut un joli trac[7], et elle examina aussi le mur, pour voir si elle ne s'apercevait pas. Lui, continuait de causer.

« Tu sais, ne m'embobine pas... Je ne veux pas qu'on m'attache... Fichtre! te voilà belle, t'as une toilette chic. Où as-tu gagné ça! [...] Attends un peu que je t'arrange!...

---

1. Il devait exister à Clignancourt, faubourg nord de Paris, une troupe de bateleurs, montreurs d'ours, etc.; 2. *Flafla* : toute chose qui brille, qui fait de l'effet (pop.); 3. *Tignasse* : chevelure (pop.) Cf. p. 67, note 4; 4. *Se carapatter* : « jouer des pattes » (Delvau). Peut-être déformation de *court-à-pattes* : dans l'artillerie, les servants à cheval appelaient ainsi, par dérision, les servants à pied; 5. Cf. p. 37, note 3; 6. Les soldats, qui, jusqu'au début de la guerre de 1914-1918, ont porté des pantalons rouges; 7. *Le trac* : la peur dans l'argot du peuple et des artistes.

Hein ? tu caches ton monsieur derrière tes jupes. Qu'est-ce que c'est que celui-là ? Fais donc la révérence, pour voir... Nom de Dieu ! c'est encore lui ! »

D'un saut terrible, il alla se heurter la tête contre la muraille ; mais la tenture rembourrée amortit le coup. On entendit seulement le rebondissement de son corps sur le paillasson, où la secousse l'avait jeté.

« Qui voyez-vous donc ? répéta l'interne.

— Le chapelier ! le chapelier[1] ! » hurlait Coupeau.

Et, l'interne ayant interrogé Gervaise, celle-ci bégaya sans pouvoir répondre, car cette scène remuait en elle tous les embêtements de sa vie. Le zingueur allongeait les poings.

« A nous deux, mon cadet[2] ! Faut que je te nettoie à la fin ! Ah ! tu viens tout de go, avec cette drogue[3] au bras, pour te ficher de moi en public. Eh bien ! je vas t'estrangouiller[4], oui, oui, moi ! et sans mettre des gants encore !... Ne fais pas le fendant[5]... Empoche ça. Et atout ! atout ! atout[6] ! »

Il lançait ses poings dans le vide. Alors, une fureur s'empara de lui. Ayant rencontré le mur en reculant, il crut qu'on l'attaquait par derrière. Il se retourna, s'acharna sur la tenture. Il bondissait, sautait d'un coin à un autre, tapait du ventre, des fesses, d'une épaule, roulait, se relevait. Ses os mollissaient, ses chairs avaient un bruit d'étoupes mouillées. Et il accompagnait ce joli jeu de menaces atroces, de cris gutturaux et sauvages. Cependant, la bataille devait mal tourner pour lui, car sa respiration devenait courte, ses yeux sortaient de leurs orbites ; et il semblait peu à peu pris d'une lâcheté d'enfant.

« A l'assassin ! à l'assassin !... Foutez le camp, tous les deux. [...] Ah ! le brigand, il la massacre ! Il lui coupe une quille[7] avec son couteau. L'autre quille est par terre, le ventre est en deux, c'est plein de sang... Oh ! mon Dieu, oh ! mon Dieu, oh ! mon Dieu*(67)... »

Et, baigné de sueur, les cheveux dressés sur le front, effrayant, il s'en alla à reculons, en agitant violemment les bras, comme pour repousser l'abominable scène. Il jeta deux

---

1. Il s'agit de Lantier, le premier amant de Gervaise ; 2. Cf. p. 66, note 6 ; 3. *Drogue :* « femme de mauvaise vie » (Delvau) ; 4. *Estrangouiller :* « variante à terminaison populaire pour *étrangler* » (Delvau) ; 5. *Faire le fendant :* « se donner des allures de matamore » (Delvau) ; 6. *S'emploie pour ponctuer les coups qu'on porte, comme un joueur qui abattrait ses atouts. D'ailleurs, familièrement, un *atout* est un coup, un malheur, etc. ; 7. *Quille :* jambe (pop.).

plaintes déchirantes, il s'étala à la renverse sur le matelas, dans lequel ses talons s'étaient empêtrés.

« Monsieur, monsieur, il est mort! » dit Gervaise les mains jointes.

L'interne s'était avancé, tirant Coupeau au milieu du matelas. Non, il n'était pas mort. On l'avait déchaussé; ses pieds nus passaient, au bout; et ils dansaient tout seuls, l'un à côté de l'autre, en mesure, d'une petite danse pressée et régulière.

Justement, le médecin entra. Il amenait deux collègues, un maigre et un gras, décorés comme lui. Tous les trois se penchèrent, sans rien dire, regardant l'homme partout; puis, rapidement, à demi-voix, ils causèrent. Ils avaient découvert l'homme des cuisses aux épaules, Gervaise voyait, en se haussant, ce torse nu étalé. En bien! c'était complet, le tremblement était descendu des bras et monté des jambes, le tronc lui-même entrait en gaieté à cette heure! Positivement, le polichinelle rigolait aussi du ventre. C'étaient des risettes le long des côtes, un essoufflement de la berdouille[1], qui semblait crever de rire. Et tout marchait, il n'y avait pas à dire! les muscles se faisaient vis-à-vis, la peau vibrait comme un tambour, les poils valsaient en se saluant. Enfin, ça devait être le grand branle-bas, comme qui dirait le galop de la fin, quand le jour paraît et que tous les danseurs se tiennent par la patte en tapant du talon.

« Il dort », murmura le médecin en chef.

Et il fit remarquer la figure de l'homme aux deux autres. Coupeau, les paupières closes, avait de petites secousses nerveuses qui lui tiraient toute la face. Il était plus affreux encore, ainsi écrasé, la mâchoire saillante, avec le masque déformé d'un mort qui aurait eu des cauchemars. Mais les médecins, ayant aperçu les pieds, vinrent mettre leurs nez dessus d'un air de profond intérêt*(**68**). Les pieds dansaient toujours. Coupeau avait beau dormir, les pieds dansaient! Oh! leur patron pouvait ronfler, ça ne les regardait pas, ils continuaient leur train-train, sans se presser ni se ralentir. De vrais pieds mécaniques, des pieds qui prenaient leur plaisir où ils le trouvaient.

Pourtant, Gervaise, ayant vu les médecins poser leurs mains sur le torse de son homme, voulut le tâter elle aussi.

---

1. *Berdouille* : mot vulgaire pour le ventre.

Elle s'approcha doucement, lui appliqua sa main sur une épaule. Et elle la laissa une minute. Mon Dieu! qu'est-ce qui se passait donc là-dedans? Ça dansait jusqu'au fond de la viande; les os eux-mêmes devaient sauter. Des frémissements, des ondulations arrivaient de loin, coulaient pareils à une rivière, sous la peau. Quand elle appuyait un peu, elle sentait les cris de souffrance de la moelle. À l'œil nu, on voyait seulement les petites ondes creusant des fossettes, comme à la surface d'un tourbillon; mais, dans l'intérieur, il devait y avoir un joli ravage. Quel sacré travail! un travail de taupe! C'était le vitriol de l'Assommoir qui donnait là-bas des coups de pioche. Le corps entier en était saucé[1], et dame! il fallait que ce travail s'achevât, émiettant, emportant Coupeau, dans le tremblement général et continu de toute la carcasse.

Les médecins s'en étaient allés. Au bout d'une heure, Gervaise, restée avec l'interne, répéta à voix basse :

« Monsieur, monsieur, il est mort... »

Mais l'interne, qui regardait les pieds, dit non de la tête. Les pieds nus, hors du lit, dansaient toujours, ils n'étaient guère propres et ils avaient les ongles longs. Des heures encore passèrent. Tout d'un coup, ils se raidirent, immobiles. Alors, l'interne se tourna vers Gervaise, en disant :

« Ça y est. »

La mort seule avait arrêté les pieds[2]. [...]

---

1. Complètement imbibé, comme d'une sauce; **2.** D'après l'ouvrage du Dr V. Magnan sur l'alcoolisme, qui contient la « reproduction textuelle d'une observation clinique faite à Sainte-Anne », Zola a noté minutieusement les symptômes de l'alcoolisme du début à la fin. On lit cette description dans ses papiers :

« ... *Enfin, la grande maladie, le grand morceau qui précède. Placer la scène de nuit ; l'accès survenant après les excès de boisson. Tout le delirium tremens...*

« *Injection des yeux, sueur, altération des traits. Fièvre à 40°. Le désordre du mouvement, très grave. Tremblement de la face et du corps entier accompagné de secousses, de frémissements et d'ondulations musculaires, même pendant le sommeil. Les cris de souffrance de la moelle, quand on applique la main. Travail continu et généralisé. Les ondes sur la peau. Enfin, affaiblissement musculaire, commencement de paralysie. Le corps imprégné d'alcool...*

« *Quatre jours de cris et de tremblement. Le maillot, la camisole. Cellule matelassée ; à terre, double couche de paillassons. Portrait à prendre ; d'abord des bourdonnements, tintements et sifflements de l'ouïe, chants confus, cloches, cris, voix tumultueuses. La vue se trouble, s'obscurcit ; les images dans un nuage ; des étincelles, des flammes, des ombres ; des animaux, des diables, qui grossissent et qui rapetissent, en changeant de couleur ; loquace, incohérent, diffus ; il croit qu'on a embauché des physiciens contre lui. Le goût sent le rat, le soufre ; les aliments lui semblent renfermer du vitriol ; la tisane sent l'eau-de-vie ou le vin. Fou, s'agitant, criant, gueulant, suant. Il se croit couvert de vermine ; des animaux entre chair et peau ; des vers qu'il secoue. Il se croit aussi enfermé dans des fils de fer et veut s'en dégager ; il sent une bête froide et mouillée lui monter le long des cuisses. Furieux*

Depuis ce jour, comme Gervaise perdait la tête souvent, une des curiosités de la maison était de lui voir faire Coupeau. On n'avait plus besoin de la prier, elle donnait le tableau gratis, tremblement des pieds et des mains, lâchant de petits cris involontaires. Sans doute elle avait pris ce tic-là à Sainte-Anne, en regardant trop longtemps son homme. Mais elle n'était pas chanceuse, elle n'en crevait pas comme lui. Ça se bornait à des grimaces de singe échappé, qui lui faisaient jeter des trognons de choux par les gamins dans les rues.

Gervaise dura ainsi pendant des mois. Elle dégringolait plus bas encore, acceptait les dernières avanies, mourait un peu de faim tous les jours. Dès qu'elle possédait quatre sous, elle buvait et battait les murs[1] On la chargeait des sales commissions du quartier. Un soir, on avait parié qu'elle ne mangerait pas quelque chose de dégoûtant; et elle l'avait mangé, pour gagner dix sous[2]. M. Marescot s'était décidé à l'expulser de la chambre du sixième. Mais, comme on venait de trouver le père Bru mort dans son trou, sous l'escalier, le propriétaire avait bien voulu lui laisser cette niche. Maintenant, elle habitait la niche du père Bru. C'était là-dedans, sur de la vieille paille, qu'elle claquait du bec, le ventre vide et les os glacés. La terre ne voulait pas d'elle, apparemment. Elle devenait idiote, elle ne songeait seulement pas à se jeter du sixième sur le pavé de la cour, pour en finir. La mort devait la prendre petit à petit, morceau par morceau, en la traînant ainsi jusqu'au bout dans la sacrée existence qu'elle s'était faite. Même on ne sut jamais au juste de quoi elle était morte. On parla d'un froid et chaud. Mais la vérité était qu'elle s'en allait de misère, des ordures et des fatigues de sa vie gâtée. Elle creva d'avachissement, selon le mot des Lorilleux. Un matin, comme ça sentait mauvais dans le corridor, on se rappela qu'on ne l'avait pas vue depuis deux jours; et on la découvrit déjà verte, dans sa niche.

Justement, ce fut le père Bazouge qui vint, avec la caisse

il entend des voix, des provocations. Son état de couvreur, dans les hallucinations : il se croit sur un toit avec des animaux qui le poussent. — Lantier. — Gervaise est là à l'agonie. Enfin, le tremblement qui gagne tout le corps. Raideur du cou avec grimace de la face ; déviation conjuguée des yeux à droite ; un peu d'écume aux lèvres. Il ne peut plus rester debout, il s'assoit sur le lit. Pendant le sommeil, les pieds, qui dépassent le matelas, ont un tremblement rythmique, un peu avant la mort. Un portrait de Coupeau mort regardé par Gervaise. »

1. Divaguait (comme on dit familièrement : battre la campagne); 2. Détail emprunté au *Sublime*.

des pauvres sous le bras, pour l'emballer. Il était encore joliment soûl ce jour-là, mais bon zig tout de même, et gai comme un pinson. Quand il eut reconnu la pratique[1] à laquelle il avait affaire, il lâcha des réflexions philosophiques, en préparant son petit ménage.

« Tout le monde y passe... On n'a pas besoin de se bousculer, il y a de la place pour tout le monde... Et c'est bête d'être pressé, parce qu'on arrive moins vite... Moi, je ne demande pas mieux que de faire plaisir. Les uns veulent, les autres ne veulent pas. Arrangez un peu ça, pour voir... En v'là une qui ne voulait pas, puis elle a voulu. Alors, on l'a fait attendre... Enfin, ça y est, et, vrai! elle l'a gagné! Allons-y gaiement! »

Et, lorsqu'il empoigna Gervaise dans ses grosses mains noires, il fut pris d'une tendresse, il souleva doucement cette femme qui avait eu un si long béguin pour lui. Puis, en l'allongeant au fond de la bière avec un soin paternel, il bégaya, entre deux hoquets :

« Tu sais, écoute bien... c'est moi, Bibi-la-Gaieté, dit le consolateur des dames... Va, t'es heureuse. Fais dodo, ma belle*(69)! »

_____

1. _La pratique_ : la cliente.

DOCUMENTATION THÉMATIQUE

réunie par la Rédaction des Nouveaux Classiques Larousse.

1. LA GENÈSE DE L'ASSOMMOIR :

1.1. Le point de départ.

Peu après 1871, Zola notait :

> « *Roman ouvrier.* — *Le roman aux Batignolles.* Une blanchisseuse ; l'atelier des repasseuses aux Batignolles, dans une boutique, sur l'avenue ; le lavoir, les laveuses, etc.
>
> » Une fête chez des ouvriers (la blanchisseuse). Les petits plats dans les grands. — Tout l'argent passe dans un dîner. — Les fenêtres ouvertes, le dehors mis dans la joie de la fête. — Les chansons au dessert.
>
> » Les femmes allant chercher les hommes au cabaret. — Les femmes conduisant les hommes, en somme.
>
> » Ne pas oublier une photographie d'homme tué sur les barricades en quarante-huit, entretenant la haine révolutionnaire dans la famille. — La politique chez le peuple avec ses bavardages, ses récits de quarante-huit, sa misère haineuse de la richesse, ses souffrances.
>
> » Rien que des ouvriers dans le roman. — Des familles d'ouvriers, avec intérieurs différents, linge aux fenêtres, etc. »

En 1875, Zola se met à l'ouvrage ; voici le début de l'ébauche qu'il dresse :

> « Montrer le milieu peuple et expliquer par ce milieu les mœurs peuple ; comme quoi, à Paris, la soûlerie, la débandade de la famille, les coups, l'acceptation de toutes les hontes et de toutes les misères vient des conditions mêmes de l'existence ouvrière, des travaux durs, des promiscuités, des laisser-aller, etc. En un mot, un tableau très exact de la vie du peuple avec ses ordures, sa vie lâchée, son langage grossier, etc. Un effroyable tableau qui portera sa morale en soi. »

Enfin, Zola établit des plans plus détaillés. Nous donnons ici le premier, que l'on comparera avec le texte définitif.

> « I. 1850, mois de mai. Abandon. Scène du lavoir. Retour à la maison. Mme Fauconnier, Mme Boche, Adèle Poisson. (Le quartier le matin.)
>
> » II. Rencontre de Coupeau et de Gervaise. Chez un marchand de vin (Colombe). (Elle ne veut pas de lui.) Ils se mettent ensemble. Les Lorilleux, intérieur et portrait ; métier. Bazouge rencontré dans l'escalier. (Le quartier à onze heures.)
>
> » III. 1850, 29 juillet. Le mariage de Coupeau et Gervaise. La politique.
>
> » IV. 51 à 54. Trois premières années du ménage. Naissance d'Anna. Accident de Coupeau. Gervaise le soignant. Les Goujet exposés là.

» V. 54. Une partie quelque part : *Foire aux pains d'épices*. Rencontre des Goujet : connaissance. Goujet trouvant Gervaise raisonnable. Les affaires de ménage vont bien. La politique.

» VI. 1855. Location de la boutique. *La rue*. Le père Bru. Les Boche ; intérieur et portrait. Les Lorilleux fâchés. Coupeau commence à se débaucher. *Le café marche*. Gervaise un peu gourmande. Courage de Gervaise. Le travail des blanchisseuses. Adèle reparaît. Le propriétaire Marescot. Un charbonnier, de l'autre côté de la porte. Les fournisseurs : charbonnier, du vin, boulanger. Un mot de Bazouge.

» VII. 58. Premier épisode des Bijard. La femme Bijard est ouvrière chez Gervaise. Celle-ci inquiète en songeant à Coupeau.

» VIII. 58. Goujet au travail. La forge.

» IX. 58. La fête de Gervaise. *Bien graduer la chute de Gervaise*. Les Lorilleux raccommodés. *La rue*. Adèle avec son mari. Gervaise ayant glissé un peu. Les Boche. La politique. Bazouge invité. Heureuse encore, pas désir de la mort. Le père Bru.

» X. 59. Lantier rentre. Tous les personnages mêlés. Coupeau parle de faire son affaire à Lantier. Ils vont chez Colombe. Coupeau amène Lantier. La maison ; arrangement.

» XI. 59 et 60. Lantier installé. L'ouvrier en paletot. La politique. La boutique mangée. Les deux hommes chez Colombe. La politique. Anna, mauvaise éducation. Les querelles pour Mme Coupeau. Goujet amoureux, propositions. Une bordée de Coupeau. Lantier reprend Gervaise qui cède. Là, le café-concert, dans un autre chapitre peut-être.

» XII. 60. Boutique au pillage. Adèle Poisson bien avec Gervaise et guettant la boutique. Gervaise cherchant à se raccrocher. Deuxième épisode de Bijard.

» XIII. 61. Enterrement de Mme Coupeau. La boutique est mangée, sale. Tous les personnages, Mme Lerat, les Lorilleux, etc. La cession de la boutique. Les Boche. Bazouge. Le père Bru.

» XIV. 62. Gervaise dans un petit logement. Le quartier, le soir. (Le boulevard, tel qu'il est.) Premiers temps. Elle s'est remise chez Mme Fauconnier. Elle nourrit son mari. Première communion d'Anna. Anna enfant. Une scène de vote. Une conversation des femmes sur leurs maris.

» XV. 63. Une scène de vote. Un premier hiver dur à passer. Deuxième épisode des Bijard (logement voisin de Gervaise). Le propriétaire Marescot. Gervaise allant chercher Coupeau chez Colombe au cabaret et s'attablant : un nouveau degré dans la chute. Mont-de-Piété. Les tentations de la misère.

Un mot du père Bru. Une coquinerie de Coupeau qui peut engager du linge. Coupeau à l'hôpital.

» XV. Une partie de campagne avec les Goujet, ce qui fait du bien à Gervaise.

» XVI. 64, 65, 66. Anna fleuriste ; insolente avec ses parents ; gros mots. Rencontre avec une autre... Elle se promène avec la jeunesse. L'atelier de fleuriste : Mme Lerat. (La journée ouvrière : les heures.) Anna au bal, cherchée par son père. On accuse Gervaise de coucher avec Goujet.

XVII. 67. Lantier chez les Poisson. Une promenade à la campagne. (On cherche à mettre Gervaise à la porte.) La boutique d'épicerie qu'il mange. Intérieur. Adèle triomphante. (La fessée.) — La politique. Les sergents de ville (les petites boîtes). Un dimanche. Le quartier avec le boulevard Ornano.

» XVIII. 67. Hiver effroyable. Une seule scène, très large, affreuse. Pas de pain, des dettes partout. Les Lorilleux refusent des pièces de vingt sous. Coupeau a disparu, bordée. Anna s'est sauvée. Gervaise près de la prostitution, presque poussée par Coupeau. Elle se soûle comme lui. Goujet la rencontre sur un trottoir. (Le père Bru mendiant. Bazouge. Gervaise le désire.)

» XIX. 68. Troisième épisode des Bijard. Mort de Lalie.

» XX. 68. Le drame : Coupeau, Lantier, Goujet. Les Lorilleux.

» XXI. 68. A la fin la partie de campagne. La dernière dégradation de Gervaise. Sa mort. Le dernier mot de Bazouge. L'alcoolisme qui comm. Ville-Evrard. »

1.2. Le cadre.

Zola écrivait le 18 octobre 1868 dans *la Tribune*

« Dimanche dernier, par cette claire après-midi qui avait appelé tout Paris dans la banlieue, j'ai fait un voyage d'exploration et j'ai découvert l'île de Saint-Ouen [...] Je suis resté jusqu'au soir au milieu du peuple endimanché. Peu de paletots, beaucoup de blouses : un monde ouvrier gai et franc, des jeunes filles en bonnet de linge, montrant leurs doigts nus criblés de piqûres d'aiguille, des hommes vêtus de toile, dont les mains rudes gardaient l'empreinte d'un outil... Les beaux messieurs ont d'aristocratiques dégoûts pour les plaisirs du peuple. Ils se grisent avec du champagne et lui reprochent le vin frelaté des barrières. S'ils daignent parfois lui voler ses filles, ils le raillent sur ses misérables amours, sur ses jouissances grossières. C'est là cependant une simple question de milieu. Les ouvriers étouffent dans les quartiers étroits et fangeux où ils sont obligés de s'entasser. Ils habitent les ruelles noires qui avoisinent la rue Saint-Antoine, les trous pestilentiels de la vallée Mouffetard. Ce n'est pas pour eux qu'on assainit la ville ; chaque nouveau boulevard qu'on perce les jette en plus grand nombre dans les vieilles maisons des faubourgs. Quand le dimanche vient, ne sachant où aller respirer un peu d'air pur, ils s'attablent au fond des cabarets ; la pente est fatale, le travail demande une récréation, et lorsque l'argent manque, lorsque l'horizon est fermé, on prend le plaisir qu'on a sous la main. Mais ouvrez l'horizon, appelez le peuple hors des murs, donnez-lui des fêtes en plein air, et vous le verrez peu à peu quitter les bancs du cabaret pour les tapis d'herbe verte. »

Quant à la grande maison de la Goutte d'Or, Zola en trace ce croquis, pris sur le vif :

« La grande maison (entre deux petites), est près de la rue des Poissonniers, à quatre ou cinq maisons. Elle a onze fenêtres de façade et six étages. Toute noire, nue, sans sculptures ; les fenêtres avec des persiennes noires, mangées, et où des lames manquent. La porte au milieu, immense, ronde. A droite, une vaste boutique de marchand de vin avec salles pour les ouvriers ; à gauche, la boutique du charbonnier, peinte, une boutique de parapluies, et la boutique que tiendra Gervaise et où se trouvait une fruitière. En entrant, sous le porche, le ruisseau coule au milieu. Vaste cour carrée, intérieure. Le concierge, en entrant à droite ; la fontaine à côté de la loge. Les quatre façades avec leurs six étages, nues, trouées des fenêtres noires, sans persiennes ; les tuyaux de descente avec les plombs. En bas, des ateliers tout autour : des menuisiers, un serrurier, un atelier de teinturier, avec les eaux de couleur qui coulent. Quatre escaliers, un pour chaque corps de bâtiment, A B C D. Au dedans de longs couloirs à chaque étage, avec des portes uniformes peintes en jaune. Sur le devant, dans les logements à persiennes, logent des gens qui passent pour riches. Dans la cour, tous ouvriers ; les linges qui sèchent. Il y a le côté du soleil et le côté où le soleil ne vient pas, plus noir, plus humide. Cour pavée, le coin humide de la fontaine. Le jour cru qui tombe dans la cour. »

1.3. Les personnages.

Dans un texte publié dans *la Tribune* (10 octobre 1869), dans *la Cloche* (24 juin 1872) puis dans les *Nouveaux Contes à Ninon* (1874), *Mon voisin Jacques*, le personnage principal évoque la figure de Bazouges dans *l'Assommoir* :

« [...] Un jour, — il avait plu la veille et mon cœur était endolori, — comme je descendais le boulevard d'Enfer, le long d'un petit sentier, je vis venir à moi un de ces parias du peuple ouvrier de Paris, un homme vêtu et coiffé de noir, cravaté de blanc, tenant sous le bras la bière étroite d'un enfant nouveau-né. [...] Au bruit de mes pas, l'homme leva la tête, puis la détourna vivement, mais trop tard : je l'avais reconnu. Mon voisin Jacques était croque-mort [...] Il arriva que Jacques, certains soirs, rentra plus bavard et plus épanoui. Il s'appuyait aux murs, le manteau agrafé sur l'épaule, le chapeau rejeté en arrière. Jacques, ces soirs-là, m'effrayait presque ; j'éprouvais une secrète épouvante à le voir si sombre et si gai. Il venait, disait-il, de rencontrer des héritiers généreux qui l'avaient emmené pleurer en leur compagnie chez un marchand de vin : quelques litres et un morceau de brie sont des consolations suprêmes en pareil cas. Jacques, finissant par s'attendrir, me jurait de me porter en terre, lorsque le moment serait venu, avec une douceur de main tout amicale. »

2. ZOLA ET LA CRITIQUE.

Dans *le Gaulois* du 21 septembre 1876, B. de Fourcauld écrit, entre autres, sur *l'Assommoir* : « C'est le recueil le plus complet que je connaisse de turpitudes sans compensations, sans correctif, sans pudeur. » Zola répond :

« Paris, 23 septembre 1876.

» Monsieur,

» Je vis très retiré, je lis peu les journaux, et c'est aujourd'hui seulement qu'on me communique *le Gaulois* du 21 septembre, dans lequel vous avez bien voulu vous occuper de *l'Assommoir*. Il m'est difficile de vous remercier, malgré ma courtoisie habituelle, car votre intention évidente a été de vous montrer très dur. Cependant, vous voulez bien appeler mes *Contes à Ninon* de « petits chefs-d'œuvre » ; c'est là certainement son éloge, et je vous en remercie.

» A la vérité, j'ai encore chez moi des œuvres qui sont beaucoup plus remarquables que les *Contes à Ninon ;* ce sont mes anciennes narrations de collège, conservées au fond d'un tiroir. J'ai même mon premier cahier d'écriture, ou les bâtons ont déjà un mérite littéraire bien supérieur à celui de mes derniers romans.

» Je plaisante, Monsieur, pour ne pas trop m'attrister. Mes amis — j'en ai quelques-uns, je vous l'affirme, — mes amis, devant l'étonnante attitude de la critique qui se rue sur *l'Assommoir* avant même que le livre ait paru, me conseillent de me défendre, de répondre, d'expliquer le livre. Quant à moi, j'estime que les livres doivent s'expliquer d'eux-mêmes.

Dans *l'Assommoir,* qui, d'ailleurs, tient à tout un ensemble d'œuvres, il n'y a qu'une simple question d'art, une question de peinture exacte, doublée d'une question de philologie. Je n'y ai pas mis autre chose pour mon compte, et je suis le premier stupéfait des étranges découvertes que la critique prétend y faire.

» Je laisse volontiers à la critique le temps de mieux me lire. Depuis dix ans, j'attends d'elle un peu de justice. Je crois avoir, il est vrai, une force sur elle, c'est que je travaille et que je sais très nettement où je veux aller, tandis que je la soupçonne d'être peu studieuse et de battre singulièrement la campagne. Peut-être faut-il que le vaste ensemble de romans auquel je me suis consacré soit terminé complètement, pour qu'on le comprenne et qu'on le juge. Et j'attendrai très bien dix ans encore, car je suis bronzé maintenant et j'ai renoncé à toutes les glorioles que les esprits aimables cueillent dans le joli chemin du succès.

» Veuillez agréer, Monsieur, l'assurance de mes sentiments les plus distingués.

» EMILE ZOLA. »

Il défend la manière dont il a présenté le peuple dans une lettre de février 1877 en ces termes :

« J'affirme, *écrivait-il,* que j'ai fait une œuvre utile en analysant un certain coin du peuple, dans *l'Assommoir.* J'y ai étudié la déchéance d'une famille ouvrière, le père et la mère tournant mal, la fille se gâtant par le mauvais exemple, par l'influence fatale de l'éducation et du milieu. J'ai fait ce qu'il y avait à faire : j'ai montré des plaies, j'ai éclairé violemment des souffrances et des vices, que l'on peut guérir... Je ne suis qu'un greffier qui me défends de conclure. Mais je laisse aux moralistes et aux législateurs le soin de réfléchir et de trouver les remèdes... Oui, le peuple est ainsi, mais parce que la société le veut bien. »

Le 18 mars 1877, il écrit au *Télégraphe* (journal républicain modéré) qui indiquait que Zola avait pris dans *le Sublime* « l'idée première de son œuvre et de nombreux détails de bouge et d'argot inconnus » :

« Monsieur,

» Il est très vrai que j'ai pris dans *le Sublime* quelques renseignements. Mais vous oubliez de dire que *le Sublime* n'est pas une œuvre d'imagination, un roman : c'est un livre de documents dont l'auteur cite des mots entendus et des faits vrais. Lui emprunter quelque chose, c'est l'emprunter à la réalité. Puisque l'occasion se présente, je n'en suis pas moins heureux de le remercier publiquement des mots d'argot que son ouvrage m'a fournis, des noms réels que j'ai pu y choisir et des faits que je me suis permis d'y prendre. Les livres sur les ouvriers sont rares.

Celui de M. Denis Poulot est un des plus intéressants que je me sois procurés. Plusieurs de mes confrères l'avaient déjà lu avec fruit, sans que personne ait songé à s'en plaindre.

» D'ailleurs, Monsieur, pendant que vous m'accusiez de plagiat, vous pourriez pousser vos recherches plus loin. Je vous indiquerai d'autres sources où j'ai puisé aussi largement, par exemple, les ouvrages de M. Jules Simon et ceux de M. Leroy-Beaulieu. Jusqu'à présent, on m'a accusé de mentir dans l'Assommoir : voilà maintenant qu'on va me foudroyer parce qu'on s'aperçoit que je me suis appuyé sur les documents les plus sérieux. Tous mes romans sont écrits de la sorte ; je m'entoure d'une bibliothèque et d'une montagne de notes avant de prendre la plume. Cherchez mes plagiats dans mes précédents ouvrages, Monsieur, et vous ferez de belles découvertes.

» Je m'étonne que les auteurs de dictionnaires d'argot que j'ai eus dans les mains ne m'aient pas encore accusé de les avoir pillés.

» Je m'étonne surtout que le docteur V. Magnan ne m'ait pas fait un procès pour avoir emprunté tant de passages à son beau livre : *De l'alcoolisme*. Mon Dieu, oui. J'ai pris dans ce livre tout *le delirium tremens* de Coupeau : j'ai copié des phrases que le docteur a entendues dans la bouche de certains alcoolisés ; j'ai suivi ses observations de savant pas à pas et, certes, si vous voulez bien comparer *l'Assommoir* à son ouvrage, vous trouverez la matière d'un nouveau réquisitoire.

» Vous ne me connaissez pas, Monsieur, mon passé littéraire m'aurait permis de ne pas répondre. Il ne peut venir à la pensée de personne que je sois un plagiaire. C'est là une invention comique. Je prends mes documents où je les trouve, et je crois les faire miens. Le plan de *l'Assommoir* a été arrêté en 1869, avant même que *le Sublime* ait paru.

» Si la mode avait encore été d'indiquer, à la fin des romans, les sources, croyez bien que j'aurais cité l'ouvrage de M. Denis Poulot, avec beaucoup d'autres.

» Mais ce qui est bien à moi, ce sont mes personnages, ce sont mes scènes, c'est la vie de mon œuvre, et cela, c'est *l'Assommoir* tout entier... »

3. LE ROMAN EXPÉRIMENTAL :

3.1. Les Goncourt.

Dans leur Préface à *Germinie Lacerteux,* Edmond et Jules de Goncourt font cette déclaration :

Il nous faut demander pardon au public de lui donner ce livre, et l'avertir de ce qu'il y trouvera.

Le public aime les romans faux : ce roman est un roman vrai.

Il aime les livres qui font semblant d'aller dans le monde : ce livre vient de la rue.

Il aime les petites œuvres polissonnes, les mémoires de filles, les confessions d'alcôves, les saletés érotiques, le scandale qui se retrousse dans une image aux devantures des libraires : ce qu'il va lire est sévère et pur. Qu'il ne s'attende point à la photographie décolletée du plaisir : l'étude qui suit est la clinique de l'Amour.

Le public aime encore les lectures anodines et consolantes, les aventures qui finissent bien, les imaginations qui ne dérangent ni sa digestion ni sa sérénité : ce livre, avec sa triste et violente distraction, est fait pour contrarier ses habitudes et nuire à son hygiène.

Pourquoi donc l'avons-nous écrit ? Est-ce simplement pour choquer le public et scandaliser ses goûts ?

Non.

Vivant au XIXe siècle, dans un temps de suffrage universel, de démocratie, de libéralisme, nous nous sommes demandé si ce qu'on appelle « les basses classes » n'avait pas droit au Roman ; si ce monde sous un monde, le peuple, devait rester sous le coup de l'interdit littéraire et des dédains d'auteurs, qui ont fait jusqu'ici le silence sur l'âme et le cœur qu'il peut avoir. Nous nous sommes demandé s'il y avait encore, pour l'écrivain et pour le lecteur, en ces années d'égalité où nous sommes, des classes indignes, des malheurs trop bas, des drames trop mal embouchés, des catastrophes d'une terreur trop peu noble. Il nous est venu la curiosité de savoir si cette forme conventionnelle d'une littérature oubliée et d'une société disparue, la Tragédie, était définitivement morte ; si dans un pays sans caste et sans aristocratie légale, les misères des petits et des pauvres parleraient à l'intérêt, à l'émotion, à la pitié, aussi haut que les misères des grands et des riches ; si, en un mot, les larmes qu'on pleure en bas, pourraient faire pleurer comme celles qu'on pleure en haut. Ces pensées nous avaient fait oser l'humble roman de *Sœur Philomène*, en 1861 ; elles nous font publier aujourd'hui *Germinie Lacerteux*.

Maintenant, que ce livre soit calomnié : peu lui importe. Aujourd'hui que le Roman s'élargit et grandit, qu'il commence à être la grande forme sérieuse, passionnée, vivante de l'étude littéraire et de l'enquête sociale, qu'il devient, par l'analyse et par la recherche psychologique, l'Histoire morale contemporaine ; aujourd'hui que le Roman s'est imposé les études et les devoirs de la science, il peut en revendiquer les libertés et les franchises. Et qu'il cherche l'Art et la Vérité ; qu'il montre des misères bonnes à ne pas laisser oublier aux heureux de Paris ; qu'il fasse voir aux gens du monde ce que les dames de charité ont le courage de voir, ce que les Reines d'autrefois faisaient toucher de l'œil à leurs enfants dans les hospices : la souffrance humaine, présente et toute vive, qui apprend la charité ; que le Roman ait cette religion que le siècle passé appelait de ce vaste et large nom : *Humanité* ; — il lui suffit de cette conscience : son droit est là.

Paris, octobre 1864.

3.2. Zola.

Voici la Préface parue en tête de *la Fortune des Rougon* :

Je veux expliquer comment une famille, un petit groupe d'êtres, se comporte dans une société, en s'épanouissant pour donner naissance à dix, à vingt individus qui paraissent, au premier coup d'œil, profondément dissemblables, mais que l'analyse montre intimement liés les uns aux autres. L'hérédité a ses lois, comme la pesanteur.

Je tâcherai de trouver et de suivre, en résolvant la double question des tempéraments et des milieux, le fil qui conduit mathématiquement d'un homme à un autre homme. Et quand je tiendrai tous les fils, quand j'aurai entre les mains tout un groupe social, je ferai voir ce groupe à l'œuvre comme acteur d'une époque historique, je le créerai agissant dans la complexité de ses efforts, j'analyserai à la fois la somme de volonté de chacun de ses membres et la poussée générale de l'ensemble.

Les Rougon-Macquart, le groupe, la famille que je me propose d'étudier a pour caractéristique le débordement des appétits, le large soulèvement de notre âge, qui se rue aux jouissances. Physiologiquement, ils sont la lente succession des accidents nerveux et sanguins qui se déclarent dans une race, à la suite d'une première lésion organique, et qui déterminent, selon les milieux, chez chacun des individus de cette race, les sentiments, les désirs, les passions, toutes les manifestations humaines, naturelles et instinctives, dont les produits prennent les noms convenus de vertus et de vices. Historiquement, ils partent du peuple, ils s'irradient dans toute la société contemporaine, ils montent à toutes les situations, par cette impulsion essentiellement moderne que reçoivent les basses classes en marche à travers le corps social, et ils racontent ainsi le second Empire à l'aide de leurs drames individuels, du guet-apens du coup d'Etat à la trahison de Sedan.

Depuis trois années, je rassemblais les documents de ce grand ouvrage, et le présent volume était même écrit, lorsque la chute des Bonaparte, dont j'avais besoin comme artiste, et que toujours je trouvais fatalement au bout du drame, sans oser l'espérer si prochaine, est venue me donner le dénouement terrible et nécessaire de mon œuvre. Celle-ci est, dès aujourd'hui, complète ; elle s'agite dans un cercle fini ; elle devient le tableau d'un règne mort, d'une étrange époque de folie et de honte.

Cette œuvre, qui formera plusieurs épisodes, est donc, dans ma pensée, l'Histoire naturelle et sociale d'une famille sous le second Empire. Et le premier épisode : *la Fortune des Rougon,* doit s'appeler de son titre scientifique : *les Origines.*

Emile Zola.

Paris, le 1ᵉʳ juillet 1871.

Un brouillon de texte, antérieur à 1870, existe :

« Je désire montrer comment une famille, un petit groupe » d'êtres se comporte en s'épanouissant pour donner nais- » sance à dix, à vingt individus, qui paraissent, au premier » coup d'œil, profondément dissemblables, mais que l'ana- » lyse révèle comme intimement liés les uns aux autres. » L'hérédité a ses lois, ainsi que la pesanteur.

» Je tâcherai de trouver et de suivre, en résolvant la question » double des tempéraments et des milieux, le fil qui conduit » mathématiquement d'un homme à un autre homme. Et, » quand je tiendrai tous les fils, quand j'aurai entre les mains » tout un groupe social, je ferai voir ce groupe à l'œuvre, » je le créerai agissant dans la complexité de ses efforts, j'ana- » lyserai à la fois la somme de volonté de chacun de ses » membres et la poussée générale de l'ensemble.

» Les Rougon-Macquart, le groupe, la famille que je me » propose d'étudier, a pour caractéristique les débordements » des appétits, le large soulèvement de notre âge qui se rue » aux jouissances. Partis du peuple, ils vont au pouvoir, au » million, au génie et au crime, à l'héroïsme et à l'infamie. » Ils s'irradient dans toutes les classes, ils racontent le second » Empire, depuis le guet-apens du coup d'Etat.

» Cette étude, — étude physiologique et historique, — qui » formera plusieurs épisodes, plusieurs volumes, est, en » somme, *l'Histoire naturelle et sociale d'une famille sous le* » *second Empire.* Et le premier épisode, *la Fortune des* » *Rougon,* doit s'appeler de son titre scientifique : *les* » *Origines.*

Emile Zola. »

3.3. K. J. Huysmans.

Dans le début de sa célèbre Préface au livre *A Rebours,* Huysmans écrit :

> Je pense que tous les gens de lettres sont comme moi, que jamais ils ne relisent leurs œuvres lorsqu'elles ont paru. Rien n'est, en effet, plus désenchantant, plus pénible, que de regarder, après des années, ses phrases. Elles se sont en quelque sorte décantées et déposent au fond du livre ; et, la plupart du temps, les volumes ne sont pas ainsi que les vins qui s'améliorent en vieillissant ; une fois dépouillés par l'âge, les chapitres s'éventent et leur bouquet s'étiole.
>
> J'ai eu cette impression pour certains flacons rangés dans le casier d'*A Rebours,* alors que j'ai dû les déboucher.
>
> Et, assez mélancoliquement, je tâche de me rappeler, en feuilletant ces pages, la condition d'âme que je pouvais bien avoir au moment où je les écrivis.
>
> On était alors en plein naturalisme ; mais cette école, qui devait rendre l'inoubliable service de situer des personnages réels dans des milieux exacts, était condamnée à se rabâcher, en piétinant sur place.
>
> Elle n'admettait guère, en théorie du moins, l'exception ; elle se confinait donc dans la peinture de l'existence commune, s'efforçait, sous prétexte de faire vivant, de créer des êtres qui fussent aussi semblables que possible à la bonne moyenne des gens. Cet idéal s'était, en son genre, réalisé dans un chef-d'œuvre qui a été beaucoup plus que l'*Assommoir* le parangon du naturalisme, l'*Education sentimentale* de Gustave Flaubert ; ce roman était, pour nous tous, « des Soirées de Médan », une véritable bible ; mais il ne comportait que peu de moutures. Il était parachevé, irrecommençable pour Flaubert même ; nous en étions donc, tous, réduits, en ce temps-là, à louvoyer, à rôder par des voies plus ou moins explorées, tout autour.
>
> La vertu étant, il faut bien l'avouer, ici-bas une exception, était par cela même écartée du plan naturaliste. Ne possédant pas le concept catholique de la déchéance et de la tentation, nous ignorions de quels efforts, de quelles souffrances elle est issue ; l'héroïsme de l'âme, victorieuse des embûches, nous échappait. Il ne nous serait pas venu à l'idée de décrire cette lutte, avec ses hauts et ses bas, ses attaques retorses et ses feintes et aussi ses habiles aides qui s'apprêtent très loin souvent de la personne que le Maudit attaque, dans le fond d'un cloître ; la vertu nous semblait l'apanage d'êtres sans curiosités ou dénués de sens, peu émouvante, en tout cas à traiter, au point de vue de l'art.
>
> Restaient les vices ; mais le champ en était, à cultiver, res-

treint. Il se limitait aux territoires des Sept péchés capitaux et encore, sur ces sept, un seul, celui contre le sixième Commandement de Dieu, était à peu près accessible.

Les autres avaient été terriblement vendangés et il n'y demeurait guère de grappes à égrener. L'Avarice, par exemple, avait été pressurée jusqu'à sa dernière goutte par Balzac et par Hello. L'Orgueil, la Colère, l'Envie avaient traîné dans toutes les publications romantiques, et ces sujets de drames avaient été si violemment gauchis par l'abus des scènes qu'il eût vraiment fallu du génie pour les rajeunir dans un livre. Quant à la Gourmandise et à la Paresse, elles semblaient pouvoir s'incarner plutôt en des personnages épisodiques et convenir mieux à des comparses qu'à des chefs d'emploi ou à des premières chanteuses de romans de mœurs. La vérité est que l'Orgueil eût été le plus magnifique des forfaits à étudier, dans ses ramifications infernales de cruauté envers le prochain et de fausse humilité, que la Gourmandise remorquant à sa suite la Luxure et la Paresse, le Vol, eussent été matière à de surprenantes fouilles, si l'on avait scruté ces péchés avec la lampe et le chalumeau de l'Eglise et en ayant la Foi ; mais aucun de nous n'était préparé pour cette besogne ; nous étions donc acculés à remâcher le méfait le plus facile à décortiquer de tous, le péché de Luxure, sous toutes ses formes ; et Dieu sait si nous le remâchâmes ; mais cette sorte de carrousel était court. Quoi qu'on inventât, le roman se pouvait résumer en ces quelques lignes : savoir pourquoi monsieur Un tel commettait ou ne commettait pas l'adultère avec madame Une telle ; si l'on voulait être distingué et se déceler, ainsi qu'un auteur de meilleur ton, l'on plaçait l'œuvre de chair entre une marquise et un comte ; si l'on voulait, au contraire, être un écrivain populacier, un prosateur à la coule, on la comptait entre un soupirant de barrière et une fille quelconque ; le cadre seul différait. La distinction me paraît avoir prévalu maintenant dans les bonnes grâces du lecteur, car je vois qu'à l'heure actuelle il ne se repaît guère des amours plébéiennes ou bourgeoises, mais continue à savourer les hésitations de la marquise, allant rejoindre son tentateur dans un petit entresol dont l'aspect change suivant la mode tapissière du temps. Tombera ? Tombera pas ? cela s'intitule étude psychologique. Moi je veux bien.

J'avoue pourtant que, lorsqu'il m'arrive d'ouvrir un livre et que j'y aperçois l'éternelle séduction et le non moins éternel adultère, je m'empresse de le fermer, n'étant nullement désireux de connaître comment l'idylle annoncée finira. Le volume où il n'y a pas de documents avérés, le livre qui ne m'apprend rien ne m'intéresse plus.

Au moment où parut *A Rebours*, c'est-à-dire en 1884, la situation était donc celle-ci : le naturalisme s'essoufflait à tourner la meule dans le même cercle. La somme d'observations que chacun avait emmagasinée, en les prenant sur soi-même et sur les autres, commençait à s'épuiser. Zola, qui était un beau décorateur de théâtre, s'en tirait en brossant des toiles plus ou moins précises ; il suggérait très bien l'illusion du mouvement et de la vie ; ses héros étaient dénués d'âme, régis tout bonnement par des impulsions et des instincts, ce qui simplifiait le travail de l'analyse. Ils remuaient, accomplissaient quelques actes sommaires, peuplaient d'assez franches silhouettes des décors qui devenaient les personnages principaux de ses drames. Il célébrait de la sorte les halles, les magasins de nouveautés, les chemins de fer, les mines, et les êtres humains égarés dans ces milieux n'y jouaient plus que le rôle d'utilités et de figurants ; mais Zola était Zola, c'est-à-dire un artiste un peu massif, mais doué de puissants poumons et de gros poings.

Nous autres, moins râblés et préoccupés d'un art plus subtil et plus vrai, nous devions nous demander si le naturalisme n'aboutissait pas à une impasse et si nous n'allions pas bientôt nous heurter contre le mur du fond.

A vrai dire, ces réflexions ne surgirent en moi que bien plus tard. Je cherchais vaguement à m'évader d'un cul-de-sac où je suffoquais, mais je n'avais aucun plan déterminé et *A Rebours*, qui me libéra d'une littérature sans issue, en m'aérant, est un ouvrage parfaitement inconscient, imaginé sans idées préconçues, sans intentions réservées d'avenir, sans rien du tout.

Il m'était d'abord apparu, tel qu'une fantaisie brève, sous la forme d'une nouvelle bizarre ; j'y voyais un peu un pendant d'*A vau l'eau* transféré dans un autre monde ; je me figurais un monsieur Folantin, plus lettré, plus raffiné, plus riche et qui a découvert, dans l'artifice, un dérivatif au dégoût que lui inspirent les tracas de la vie et les mœurs américaines de son temps ; je le profilais fuyant à tire-d'aile dans le rêve, se réfugiant dans l'illusion d'extravagantes féeries, vivant, seul, loin de son siècle, dans le souvenir évoqué d'époques plus cordiales, de milieux moins vils.

Et, à mesure que j'y réfléchissais, le sujet s'agrandissait et nécessitait de patientes recherches : chaque chapitre devenait le coulis d'une spécialité, le sublimé d'un art différent ; il se condensait en un « of meat » de pierreries, de parfums, de fleurs, de littérature religieuse et laïque, de musique profane et de plain-chant.

L'étrange fut que, sans m'en être d'abord douté, je fus amené par la nature même de mes travaux à étudier l'Eglise sous

bien des faces. Il était, en effet, impossible de remonter jusqu'aux seules ères propres qu'ait connues l'humanité, jusqu'au Moyen Age, sans constater qu'Elle tenait tout, que l'art
n'existait qu'en Elle et que par Elle. N'ayant pas la foi, je la
regardais, un peu défiant, surpris de son ampleur et de sa
gloire, me demandant comment une religion qui me semblait
faite pour des enfants avait pu suggérer de si merveilleuses
œuvres.

Je rôdais un peu à tâtons autour d'Elle, devinant plus que
je ne voyais, me reconstituant, avec les bribes que je retrou-
vais dans les musées et les bouquins, un ensemble. Et aujour-
d'hui que je parcours, après des investigations longues
et plus sûres, les pages d'*A Rebours* qui ont trait au catholicisme et à l'art religieux, je remarque que ce minuscule
panorama, peint sur des feuilles de bloc-notes, est exact.
Ce que je peignais alors était succinct, manquait de déve-
loppements, mais était véridique. Je me suis borné depuis à
agrandir mes esquisses et à les mettre au point.

Je pourrais très bien signer maintenant les pages d'*A Rebours*
sur l'Eglise, car elles paraissent avoir été, en effet, écrites
par un catholique.

Je me croyais loin de la religion pourtant! Je ne songeais
pas que, de Schopenhauer que j'admirais plus que de raison,
à l'*Ecclésiaste* et au *Livre de Job,* il n'y avait qu'un pas. Les
prémisses sur le Pessimisme sont les mêmes, seulement, lorsqu'il s'agit de conclure, le philosophe se dérobe. J'aimais ses
idées sur l'horreur de la vie, sur la bêtise du monde, sur
l'inclémence de la destinée ; je les aime également dans les
Livres Saints ; mais les observations de Schopenhauer n'abou-
tissent à rien ; il vous laisse, pour ainsi parler, en plan ; ses
aphorismes ne sont, en somme, qu'un herbier de plaintes [*sic*]
sèches ; l'Eglise, elle, explique les origines et les causes,
signale les fins, présente les remèdes ; elle ne se contente pas
de vous donner une consultation d'âme, elle vous traite et
elle vous guérit, alors que le médicastre allemand, après vous
avoir bien démontré que l'affection dont vous souffrez est
incurable, vous tourne, en ricanant, le dos.

Son Pessimisme n'est autre que celui des Ecritures auxquelles
il l'a emprunté. Il n'a pas dit plus que Salomon, plus que Job,
plus même que l'*Imitation* qui a résumé, bien avant lui, toute
sa philosophie en une phrase : « C'est vraiment une misère
que de vivre sur la terre ! »

A distance, ces similitudes et ces dissemblances s'avèrent
nettement, mais à cette époque, si je les percevais, je ne m'y
attardais point ; le besoin de conclure ne me tentait pas ; la
route tracée par Schopenhauer était carrossable et d'aspect
varié, je m'y promenais tranquillement, sans désir d'en

connaître le bout; en ce temps-là, je n'avais aucune clarté réelle sur les échéances, aucune appréhension des dénouements; les mystères du catéchisme me paraissaient enfantins; comme tous les catholiques, du reste, j'ignorais parfaitement ma religion; je ne me rendais pas compte que tout est mystère, que nous ne vivons que dans le mystère, que si le hasard existait, il serait encore plus mystérieux que la Providence. Je n'admettais pas la douleur infligée par un Dieu, je m'imaginais que le Pessimisme pouvait être le consolateur des âmes élevées. Quelle bêtise! c'est cela qui était peu expérimental, peu document humain, pour me servir d'un terme cher au naturalisme. Jamais le Pessimisme n'a consolé et les malades de corps et les alités d'âme!

Je souris, alors qu'après tant d'années, je relis les pages où ces théories, si résolument fausses, sont affirmées.

Mais ce qui me frappe le plus, en cette lecture, c'est ceci: tous les romans que j'ai écrits depuis *A Rebours* sont contenus en germe dans ce livre. Les chapitres ne sont, en effet, que les amorces des volumes qui le suivirent.

Le chapitre sur la littérature latine de la Décadence, je l'ai sinon développé, au moins plus approfondi, en traitant de la liturgie dans *En Route* et dans *l'Oblat*. Je l'imprimerai, sans y rien changer aujourd'hui, sauf pour saint Ambroise dont je n'aime toujours pas la prose aqueuse et la rhétorique ampoulée. Il m'apparaît encore tel que je le qualifiais « d'ennuyeux Cicéron chrétien », mais, en revanche, le poète est charmant; et ses hymnes et celles de son école qui figurent dans le Bréviaire sont parmi les plus belles qu'ait conservées l'Eglise; j'ajoute que la littérature un peu spéciale, il est vrai, de l'hymnaire aurait pu trouver place dans le compartiment réservé de ce chapitre.

Pas plus qu'en 1884, je ne raffole présentement du latin classique du Maro et du Pois chiche; comme au temps d'*A Rebours,* je préfère la langue de la Vulgate à la langue du siècle d'Auguste, voire même à celle de la Décadence, plus curieuse pourtant, avec son fumet de sauvagine et ses teintes persillées de venaison. L'Eglise qui, après l'avoir désinfectée et rajeunie, a créé, pour aborder un ordre d'idées inexprimées jusqu'alors, des vocables grandiloques et des diminutifs de tendresse exquis, me semble donc s'être façonné un langage fort supérieur au dialecte du Paganisme, et Durtal pense encore, à ce sujet, tel que des Esseintes.

Le chapitre des pierreries, je l'ai repris dans *la Cathédrale* en m'occupant alors au point de vue de la symbolique des gemmes. J'ai animé les pierreries mortes d'*A Rebours*. Sans doute, je ne nie pas qu'une belle émeraude puisse être admirée pour les étincelles qui grésillent dans le feu de son eau verte, mais n'est-elle point, si l'on ignore l'idiome des symboles, une inconnue, une étrangère avec laquelle on ne peut s'entretenir et qui se tait, elle-même, parce que l'on ne comprend pas ses locutions ? Or, elle est plus et mieux que cela.

Sans admettre avec un vieil auteur du XVIe siècle, Estienne de Clave, que les pierreries s'engendrent, ainsi que des personnes naturelles, d'une semence éparse dans la matrice du sol, l'on peut très bien dire qu'elles sont des minéraux significatifs, des substances loquaces, qu'elles sont, en un mot, des symboles. Elles ont été envisagées sous cet aspect depuis la plus haute antiquité et la tropologie des gemmes est une des branches de cette symbolique chrétienne si parfaitement oubliée par les prêtres et les laïques de notre temps et que j'ai essayé de reconstituer en ses grandes lignes dans mon volume sur la basilique de Chartres.

Le chapitre d'*A Rebours* n'est donc que superficiel et à fleur de chaton. Il n'est pas ce qu'il devrait être, une joaillerie de l'au-delà. Il se compose d'écrins plus ou moins bien décrits, plus ou moins bien rangés en une montre, mais c'est tout et ce n'est pas assez.

La peinture de Gustave Moreau, les gravures de Luyken, les lithographies de Bresdin et de Redon sont telles que je les vois encore. Je n'ai rien à modifier dans l'ordonnance de ce petit musée.

Pour le terrible chapitre VI dont le chiffre correspond, sans intentions préconçues, à celui du Commandement de Dieu qu'il offense, et pour certaines parties du IXe qui peuvent s'y joindre, je ne les écrirais plus évidemment de la sorte. Il eût au moins fallu les expliquer, d'une façon plus studieuse, par cette perversité diabolique qui s'ingère, au point de vue luxurieux surtout, dans les cervelles épuisées des gens. Il semble, en effet, que les maladies de nerfs, que les névroses ouvrent dans l'âme des fissures par lesquelles l'Esprit du Mal pénètre. Il y a là une énigme qui reste illucidée ; le mot hystérie ne résout rien ; il peut suffire à préciser un état matériel, à noter des rumeurs irrésistibles des sens, il ne déduit pas les conséquences spirituelles qui s'y rattachent et, plus particulièrement, les péchés de dissimulation et de mensonge, qui presque toujours s'y greffent. Quels sont les tenants et les aboutissants de cette maladie peccamineuse, dans quelle proportion s'atténue la responsabilité de l'être atteint dans son âme d'une sorte de possession qui vient s'enter sur le désordre de son malheureux corps ? Nul ne le sait ; en cette matière, la médecine déraisonne et la théologie se tait.

A défaut d'une solution qu'il ne pouvait évidemment apporter, des Esseintes eût dû envisager la question au point de vue de la faute et en exprimer au moins quelque regret ; il s'abstint de se vitupérer, et il eut tort ; mais bien qu'élevé par les Jésuites dont il fait — plus que Durtal — l'éloge, il était devenu, par la suite, si rebelle aux contraintes divines, si entêté à patauger dans son limon charnel !

En tout cas, ces chapitres paraissent des jalons inconsciemment plantés pour indiquer la route de *Là-Bas.* Il est à observer d'ailleurs que la bibliothèque de des Esseintes renfermait un certain nombre de bouquins de magie et que les idées énoncées dans le chapitre VII d'*A Rebours,* sur le sacrilège, sont l'hameçon d'un futur volume traitant le sujet plus à fond.

Ce livre de *Là-Bas* qui effara tant de gens, je ne l'écrirais plus, lui aussi, maintenant que je suis redevenu catholique, de la même manière. Il est, en effet, certain que le côté scélérat et sensuel qui s'y développe est réprouvable ; et cependant, je l'affirme, j'ai gazé, je n'ai rien dit ; les documents qu'il recèle sont, en comparaison de ceux que j'ai omis et que je possède dans mes archives, de bien fades dragées, de bien plates béatilles

Je crois, cependant, qu'en dépit de ses démences cérébrales et de ses folies alvines, cet ouvrage a, par le sujet même qu'il exposait, rendu service. Il a rappelé l'attention sur les manigances du Malin qui était parvenu à se faire nier ; il a été le point de départ de toutes les études qui se sont renouvelées sur l'éternel procès du satanisme ; il a aidé, en les dévoilant, à annihiler les odieuses pratiques des goéties ; il a pris parti et combattu très résolument, en somme, pour l'Eglise contre le Démon.

Pour en revenir à *A Rebours* dont il n'est qu'un succédané, je peux répéter à propos des fleurs ce que j'ai déjà raconté sur le compte des pierres.

A Rebours ne les considère qu'au point de vue des contours et des teintes, nullement au point de vue des significations qu'elles décèlent ; des Esseintes n'a choisi que des orchidées bizarres, mais taciturnes. Il sied d'ajouter qu'il eût été difficile de faire parler en ce livre une flore atteinte d'alalie, une flore muette, car l'idiome symbolique des plantes est mort avec le Moyen Age ; et les créoles végétales choyées par des Esseintes étaient inconnues des allégoristes de ce temps.

La contre-partie de cette botanique, je l'ai écrite depuis, dans *la Cathédrale,* à propos de cette horticulture liturgique qui a suscité de si curieuses pages de sainte Hildegarde, de saint Méliton, de saint Eucher.

Autre est la question des odeurs dont j'ai dévoilé dans le même livre les emblèmes mystiques.

Des Esseintes ne s'est préoccupé que des parfums laïques,

simples ou extraits, et des parfums profanes, composés ou bouquets.

Il eût pu expérimenter aussi les arômes de l'Eglise, l'encens, la myrrhe, et cet étrange Thymiama que cite la Bible et qui est encore marqué dans le rituel comme devant être brûlé, avec l'encens, sous le vase des cloches, lors de leur baptême, après que l'Evêque les a lavées avec de l'eau bénite et signées avec le saint chrême et l'huile des infirmes ; mais cette fragrance semble oubliée par l'Eglise même et je crois que l'on étonnerait beaucoup un curé en lui demandant du Thymiama.

La recette est pourtant consignée dans *l'Exode*. Le Thymiama se composait de styrax, de galbanum, d'encens et d'onycha, et cette dernière substance ne serait autre que l'opercule d'un certain coquillage du genre des « pourpres » qui se drague dans les marais des Indes.

Or, il est difficile, pour ne pas dire impossible, étant donné le signalement incomplet de ce coquillage et de son lieu de provenance, de préparer un authentique Thymiama ; et c'est dommage, car s'il eût été autrement, ce parfum perdu eût certainement excité chez des Esseintes les fastueuses évocations des galas cérémoniels, des rites liturgiques de l'Orient.

Quant aux chapitres sur la littérature laïque et religieuse contemporaine, ils sont, à mon sens, de même que celui de la littérature latine, demeurés justes. Celui consacré à l'art profane a aidé à mettre en relief des poètes bien inconnus du public alors : Corbière, Mallarmé, Verlaine. Je n'ai rien à retrancher à ce que j'écrivis il y a dix-neuf ans ; j'ai gardé mon admiration pour ces écrivains ; celle que je professais pour Verlaine s'est même accrue. Arthur Rimbaud et Jules Laforgue eussent mérité de figurer dans le florilège de des Esseintes, mais ils n'avaient encore rien imprimé à cette époque-là et ce n'est que beaucoup plus tard que leurs œuvres ont paru.

Je ne m'imagine pas, d'autre part, que j'arriverai jamais à savourer les auteurs religieux modernes que saccage *A Rebours*. L'on ne m'ôtera pas de l'idée que la critique de feu Nettement est imbécile et que Mme Augustin Craven et que Mlle Eugénie de Guérin sont de bien lymphatiques bas-bleus et de bien dévotieuses bréhaignes. Leurs juleps me semblent fades ; des Esseintes a repassé à Durtal son goût pour les épices et je crois qu'ils s'entendraient encore assez bien, tous les deux, pour préparer, à la place de ces loochs, une essence gingembrée d'art.

Je n'ai pas changé d'avis non plus sur la littérature de confrérie des Poujoulat et des Genoude, mais je serais moins dur maintenant pour le Père Chocarne, cité dans un lot de pieux cacographes, car il a au moins rédigé quelques pages médullaires sur la mystique, dans son introduction aux œuvres de saint Jean de la Croix, et je serais également plus doux pour de Montalembert qui, à défaut de talent, nous a nantis d'un ouvrage incohérent et dépareillé, mais enfin émouvant, sur les moines ; je n'écrirais plus surtout que les visions d'Angèle de Foligno sont sottes et fluides, c'est le contraire qui est vrai ; mais je dois attester, à ma décharge, que je ne les avais lues que dans la traduction d'Hello. Or, celui-là était possédé par la manie d'élaguer, d'édulcorer, de cendrer les mystiques, de peur d'attenter à la fallacieuse pudeur des catholiques. Il a mis sous pressoir une œuvre ardente, pleine de sève, et il n'en a extrait qu'un suc incolore et froid, mal réchauffé, au bain-marie, sur la pauvre veilleuse de son style. Cela dit, si en tant que traducteur, Hello se révélait tel qu'un tâte-poule et qu'un pleusard, il est juste d'affirmer qu'il était, alors qu'il opérait pour son propre compte, un manieur d'idées originales, un exégète perspicace, un analyste vraiment fort. Il était même, parmi les écrivains de son bord, le seul qui pensât ; je suis venu à la rescousse de d'Aurevilly pour prôner l'œuvre de cet homme si incomplet, mais si intéressant, et *A Rebours* a, je pense, aidé au petit succès que son meilleur livre, *l'Homme,* a obtenu depuis sa mort. La conclusion de ce chapitre sur la littérature ecclésiale moderne était que parmi les hongres de l'art religieux, il n'y avait qu'un étalon, Barbey d'Aurevilly ; et cette opinion demeure résolument exacte. Celui-là fut le seul artiste, au pur sens du mot, que produisit le catholicisme de ce temps ; il fut un grand prosateur, un romancier admirable dont l'audace faisait braire la bedeaudaille qu'exaspérait la véhémence explosive de ses phrases.

Enfin, si jamais chapitre peut être considéré comme le point de départ d'autres livres, c'est bien celui sur le plain-chant que j'ai amplifié depuis dans tous mes volumes, dans *En Route* et surtout dans *l'Oblat.*

Après ce bref examen de chacune des spécialités rangées dans les vitrines d'*A Rebours,* la conclusion qui s'impose est celle-ci : ce livre est une amorce de mon œuvre catholique qui s'y trouve, tout entière, en germe.

Et l'incompréhension et la bêtise de quelques mômiers et de quelques agités du sacerdoce m'apparaissent, une fois de plus, insondables. Ils réclamèrent, pendant des années, la destruction de cet ouvrage dont je ne possède pas, du reste, la propriété, sans même se rendre compte que les volumes mystiques qui lui succédèrent sont incompréhensibles sans celui-là, car il est, je le répète, la souche d'où tous sortirent.

Comment apprécier, d'ailleurs, l'œuvre d'un écrivain, dans son ensemble, si on ne la prend dès ses débuts, si on ne la suit pas à pas ; comment surtout se rendre compte de la marche de la Grâce dans une âme si l'on supprime les traces de son passage, si l'on efface les premières empreintes qu'elle a laissées ?

Ce qui est, en tout cas, certain, c'est qu'*A Rebours* rompait avec les précédents, avec *les Sœurs Vatard, En ménage, A vau l'eau*, c'est qu'il m'engageait dans une voie dont je ne soupçonnais même pas l'issue.

Autrement sagace que les catholiques, Zola le sentit bien. Je me rappelle que j'allai passer, après l'apparition d'*A Rebours*, quelques jours à Médan. Une après-midi que nous nous promenions, tous les deux, dans la campagne, il s'arrêta brusquement et, l'œil devenu noir, il me reprocha le livre, disant que je portais un coup terrible au naturalisme, que je faisais dévier l'école, que je brûlais d'ailleurs mes vaisseaux avec un pareil roman, car aucun genre de littérature n'était possible dans ce genre épuisé en un seul tome, et, amicalement — car il était un très brave homme — il m'incita à rentrer dans la route frayée, à m'atteler à une étude de mœurs.

Je l'écoutais, pensant qu'il avait tout à la fois et raison et tort, — raison, en m'accusant de saper le naturalisme et de me barrer tout chemin, — tort, en ce sens que le roman, tel qu'il le concevait, me semblait moribond, usé par les redites, sans intérêt, qu'il le voulût ou non, pour moi.

Il y avait beaucoup de choses que Zola ne pouvait comprendre ; d'abord, ce besoin que j'éprouvais d'ouvrir les fenêtres, de fuir un milieu où j'étouffais ; puis, le désir qui m'appréhendait de secouer les préjugés, de briser les limites du roman, d'y faire entrer l'art, la science, l'histoire, de ne plus se servir, en un mot, de cette forme que comme d'un cadre pour y insérer de plus sérieux travaux. Moi, c'était cela qui me frappait surtout à cette époque, supprimer l'intrigue traditionnelle, voire même la passion, la femme, concentrer le pinceau de lumière sur un seul personnage, faire à tout prix du neuf.

Zola ne répondait pas à ces arguments avec lesquels j'essayais de le convaincre, et il réitérait sans cesse son affirmation : « Je n'admets pas que l'on change de manière et d'avis ; je n'admets pas que l'on brûle ce que l'on a adoré ».

Eh là ! n'a-t-il pas joué, lui aussi, le rôle du bon Sicambre ? Il a en effet, sinon modifié son procédé de composition et d'écriture, au moins varié sa façon de concevoir l'humanité et d'expliquer la vie. Après le pessimisme noir de ses premiers

livres, n'avons-nous pas eu, sous couleur de socialisme, l'opti-
misme béat de ses derniers ?

Il faut bien le confesser, personne ne comprenait moins l'âme
que les naturalistes qui se proposaient de l'observer. Ils
voyaient l'existence d'une seule pièce ; ils ne l'acceptaient que
conditionnée d'éléments vraisemblables, et j'ai depuis appris,
par expérience, que l'invraisemblable n'est pas toujours,
dans le monde, à l'état d'exception, que les aventures de
Rocambole sont parfois aussi exactes que celles de Gervaise
et de Coupeau.

Mais l'idée que des Esseintes pouvait être aussi vrai que ses
personnages à lui, déconcertait, irritait presque Zola.

JUGEMENTS SUR « L'ASSOMMOIR »

Je trouve les œuvres réalistes malsaines et mauvaises... Ce livre est mauvais. Il montre, comme à plaisir, les hideuses plaies de la misère et de l'abjection à laquelle le pauvre se trouve réduit. Les classes ennemies du peuple se sont repues de ce tableau. Voilà comme ils sont tous, disent-elles, et c'est par elles que s'est fait le succès du livre. [...] Il est de ces tableaux qu'on ne doit pas faire. Que l'on ne m'objecte pas que tout cela est vrai, que cela se passe ainsi. Je le sais, je suis descendu dans toutes ces misères, mais je ne veux pas qu'on les donne en spectacle. Vous n'avez pas le droit, vous n'avez pas *le droit de nudité sur la misère et sur le malheur.*

> V. Hugo,
> Conversation reproduite par
> Alfred Barbou : *Victor Hugo, sa vie, ses œuvres* (1880).

J'ai lu, comme vous, quelques fragments de *l'Assommoir.* Ils m'ont déplu. Zola devient une précieuse, *à l'inverse.* Il croit qu'il y a des mots énergiques, comme Cathos et Madelon croyaient qu'il en existait de nobles. Le *système* l'égare.

> G. Flaubert,
> Lettre à Tourguéniev (14 décembre 1876).

Mettez de côté toutes les bêtises qui seront dites sur *l'Assommoir.*

> G. Flaubert,
> Lettre à Zola (5 janvier 1877).

X... vous dépasse dans la répulsion que lui cause *l'Assommoir* ; son dégoût ressemble à de la fureur et le rend parfaitement injuste. Il serait fâcheux de faire beaucoup de livres comme celui-là : mais il y a des parties superbes, une narration qui a de grandes allures et des vérités incontestables. C'est trop long dans la même gamme, mais Zola est un gaillard d'une jolie force et vous verrez le succès qu'il aura.

> G. Flaubert,
> Lettre à Mᵐᵉ Roger Des Genettes (février 1877).

Il y a dans ces longues pages malpropres une puissance réelle et un tempérament incontestable.

> G. Flaubert,
> Lettre à Mᵐᵉ Roger Des Genettes (2 avril 1877).

Et je maintiens que vous êtes un joli romantique. C'est même à cause de cela que je vous admire et vous aime.

G. Flaubert,
Lettre à Zola (juin 1879).

Se peut-il que des gens osent nier l'inestimable talent de cet homme, sa personnalité puissante, son ampleur, sa force, uniques dans cette époque de rachitisme et de langueur. [...] Où trouver dans les romans d'aujourd'hui, où dans ceux d'autrefois, une page aussi émue, aussi poignante que celle où cette brute de Bijard va frapper Lalie qui se meurt? Allez, adressez-vous aux écrivains qui ont pour spécialité d'attendrir les femmes et vous verrez si tout l'arsenal de leurs émotions ne s'effondre point à côté de la simplicité douloureuse de Zola.

J.-K. Huysmans,
Emile Zola et « l'Assommoir » (1876).

Si vraiment le sentiment de l'honneur et du devoir avaient à ce point disparu des rangs de la classe ouvrière, cela ne pourrait plus marcher longtemps ainsi et nous nous trouverions à la veille de la fin du monde.

A. Wolff,
(article paru dans *le Figaro*, 5 février 1877).

Oui, M. Zola est un bourgeois, bourgeois dans le mauvais sens du mot. Il a pour le peuple un mépris de bourgeois, doublé d'un mépris d'artiste faisant de l'art pour l'art, d'un mépris néronien. Jamais il ne représente le travail manuel autrement que répugnant.

A. Ranc,
M. Emile Zola et « l'Assommoir » (1877).

Voilà une bien grande œuvre, et digne d'une époque où la vérité devient la forme populaire de la beauté! Ceux qui vous accusent de n'avoir pas écrit pour le peuple se trompent en un sens autant que ceux qui regrettent un idéal ancien; vous en avez trouvé un qui est moderne, c'est tout. La fin sombre du livre et votre admirable tentative de linguistique, grâce à laquelle tant de modes d'expression souvent ineptes forgés par de pauvres diables prennent la valeur des plus belles formules littéraires puisqu'ils arrivent à nous faire sourire ou presque pleurer, nous lettrés! cela m'émeut au dernier point. [...] Le début du roman reste jusqu'à présent la portion que je préfère. La simplicité si prodigieusement sincère des descriptions de Coupeau travaillant ou de l'atelier de la femme me tiennent sous un charme que n'arrivent point à me faire oublier les tristesses finales : c'est quelque chose d'absolument nouveau dont vous avez doté la littérature, que ces pages si tranquilles qui se tournent comme les jours d'une vie.

S. Mallarmé,
Lettres à Zola (3 février 1877).

L'Assommoir n'est certes pas un livre aimable, mais c'est un livre puissant. La vie y est rendue d'une façon immédiate et directe... Les personnages, fort nombreux, y parlent le langage des faubourgs. Quand l'auteur, sans les faire parler, achève leur pensée ou décrit leur état d'esprit, il emploie lui-même leur langage. On l'en a blâmé. Je l'en loue. Vous ne pouvez traduire fidèlement les pensées et les sensations d'un être que dans sa langue. [...] Dans *l'Assommoir*, je n'aime ni le croque-mort fantastique de la rue des Poissonniers, ni la petite Lalie, martyre séraphique d'un ivrogne démoniaque. Le prince de l'émotion, Dickens, eût pu seul animer de telles figures, en même temps idéales et vulgaires ; vagues comme des rêves, lucides comme des allégories, et qui ne sortent vraiment vives que de l'imagination d'un chrétien fervent, hanté par le combat perpétuel du ciel et de l'enfer. Hors celles-là, toutes les figures de *l'Assommoir* vivent et sont, pour le lecteur, parfaitement indistinctes de la réalité même.

A. France,
le Temps (27 juin 1877)
[article non reproduit dans *la Vie littéraire*].

On peut publier des *Assommoir* et des *Germinie Lacerteux* et agiter et remuer et passionner une partie du public. Oui! mais pour moi les succès de ces livres ne sont que de brillants combats d'avant-garde, et la grande bataille qui décidera de la victoire du réalisme, du naturalisme, de *l'étude d'après nature* en littérature, ne se livrera pas sur le terrain que les auteurs de ces deux romans ont choisi. Le jour où l'analyse cruelle que mon ami M. Zola, et peut-être moi-même, avons apportée dans la peinture du bas de la société, sera reprise par un écrivain de talent, et employée à la reproduction des hommes et des femmes du monde, dans les milieux d'éducation et de distinction, — ce jour-là, seulement, le classicisme et sa queue seront tués.

E. de Goncourt,
Préface des *Frères Zemganno* (1879).

L'intérieur, c'est justement ce qui échappe à M. Zola. S'il n'y a rien de si grossier que sa physiologie, il n'y a rien de si mince que sa psychologie.

F. Brunetière,
le Roman naturaliste (1883).

Une grande lacune dans l'œuvre émouvante : le dramaturge n'indique pas les vraies causes du mal, ce qui lui interdit d'en envisager les seuls remèdes. Outre que c'est une faute de construction qui nuit à l'ampleur du tableau et qui rend incomplet le travail de l'artiste, il en résulte que le livre reste désespérant, sans issue, purement négatif et, malgré la première apparence, de portée sociale restreinte. Il n'a de subversif contre un ordre de choses néfaste, que la vertu subversive indirecte possédée par toute œuvre de vérité.

H. Barbusse,
Zola (1932).

Relu *l'Assommoir*. Je voudrais écrire un article sur Zola, où protester (mais doucement) contre la méconnaissance actuelle de sa valeur. J'y voudrais préciser que mon admiration pour Zola ne date pas d'hier et n'est nullement inspirée par mes « opinions » actuelles. [...] Depuis quelques années, je relis chaque été quelques volumes des *Rougon-Macquart*, pour me convaincre à neuf que Zola mérite d'être placé très haut — en tant qu'artiste et sans aucun souci de « tendance ».

A. Gide,
Journal (1er octobre 1934).

Tant que l'on considère son œuvre selon les seules perspectives de l'art littéraire — qui a des grâces irremplaçables, mais aussi parfois des étroitesses et des élégances suspectes de caducité —, il est facile de chercher querelle à Zola. Et plusieurs querelles; qui se distribueront par chapitres. Le public spectateur du procès risquera même de se dire à la fin : « Mais alors, de toute cette œuvre énorme, que reste-t-il ? » Il reste le principal, qui est que, pendant près d'un demi-siècle, personne, à notre connaissance, dans l'humanité, n'a fait autant que le romancier français Émile Zola pour donner au monde moderne conscience de ce qu'il était, de ce qui lui arrivait, de ce qui lui tournait dans le ventre, confusément.

Jules Romains,
(*Présence de Zola*, 1953).

L'Assommoir n'est pas, comme certains volumes de la série, une œuvre improvisée à la hâte pour compléter le tableau de la société du second Empire : il est resté pendant des années dans la pensée du romancier et s'est nourri de toutes ses expériences d'homme et d'écrivain.

Marcel Girard,
in édition des Rougon-Macquart, Paris, Gallimard (1961).

Tout en étant attaché au réel, le romancier naturaliste est aussi un créateur visionnaire. Lorsqu'il se laisse emprisonner dans son système ou lorsqu'il imagine l'existence de classes sociales qu'il ne connaît pas par expérience, il lui arrive de mettre sur pied des personnages stéréotypés et mélodramatiques. Mais il sait aussi donner naissance à des créatures de chair et de sang, qui échappent à toutes les conventions littéraires et éclatent de vérité. Il y a en lui un artiste impressionniste qui fait vibrer les chaudes couleurs de sa palette, suscite tout un monde de sensations enivrantes, et un génie épique qui transfigure êtres et choses : alors, le carreau des Halles, le grand magasin, la mine, la locomotive apparaissent comme les monstres d'une mythologie moderne, et ceux qui les approchent participent de leur puissance fantastique. Ainsi, Zacharie, qui, dans la mine, lutte « contre la houille d'un élan si farouche qu'on entendait monter du boyau le souffle grondant de sa poitrine, pareil au ronflement de quelque forge intérieure ». Les choses s'animent et les êtres se fondent en elles, abandonnés à des puissances qui les dépassent, qu'ils soient individus isolés ou foules massives.

Michel Décaudin,
Histoire de la littérature française, Larousse (1968).

Ce n'était pas seulement le dépouillement de l'intrigue qui conférait à *l'Assommoir* son accent de vérité ; c'était la création d'un style. Zola avait compris, avant de rédiger son roman, qu'il y avait là une rude partie à jouer. Il a su parler une langue drue, savoureuse, pétrie d'argot. Son coup de génie, comme l'a bien vu Henri Guillemin, a été l'usage très heureux de ce style indirect libre que Flaubert avait fait entrer dans le roman. Par ce procédé, Zola restituait par bribes la pensée de ses personnages, de Gervaise surtout : sa déchéance, sa secrète complaisance à s'en accommoder, seule cette sorte de monologue intérieur pouvait les faire sentir. L'habileté de Zola a consisté à fondre dans la trame du récit ces morceaux de monologue. Il a su relayer ses personnages avec une étonnante justesse de ton, et il arrive qu'on ne sache plus si c'est lui qui raconte avec l'accent de ses héros ou si c'est leur pensée qui se profère. « Les prestiges du littérateur », disait Guillemin, s'unissaient à « la magie du mot ».

Michel Raimond,
Le roman depuis la Révolution, Colin (1970).

QUESTIONS SUR « L'ASSOMMOIR »

1. Appréciez la valeur des arguments invoqués dans cette préface. Réfutent-ils efficacement les accusations formulées à l'époque (cf. les Jugements, pages 147 à 149)? Le « temps » et la « bonne foi publique » ont-ils complètement réhabilité l'auteur de *l'Assommoir*?

2. Dans ce tableau des faubourgs de Paris au soleil levant, étudiez :

1º L'aspect « documentaire » : les rues, les maisons, les costumes, les mœurs des ouvriers parisiens au milieu du XIXᵉ siècle;

2º Les détails qui semblent vus à travers l'angoisse de Gervaise;

3º La déformation que la propre vision du monde d'Émile Zola vous paraît faire subir à la réalité : la part de l'imagination, des idées morbides, des préoccupations morales.

Vous comparerez ce réveil d'une grande ville avec *les Faubourgs de Paris*, d'Eugène Dabit (Gallimard, 1933), et le début du 6 *octobre*, de Jules Romains (Flammarion, 1932).

3. Dans cette première esquisse de l' « assommoir » du père Colombe, relevez parmi la banalité des accessoires quelques détails — encore discrets — qui créent une atmosphère de sourde menace.

4. Appréciez toute la valeur de cet idéal. Zola ne rejoint-il pas ici une certaine morale traditionnelle (Montaigne, le Voltaire de *Candide*...).

5. Observez comment Zola réussit à donner la vie et même une âme à la « machine à soûler ». Le grossissement progressif du monstre... La brusque amplification épique qui clôt le paragraphe... Comparez avec d'autres créations fantastiques de Zola : la pompe du Voreux dans *Germinal*, la locomotive dans *la Bête humaine*, etc.

6. D'après cette description, définir le naturalisme d'Émile Zola. Distinguez les traits proprement réalistes de ceux qui vous semblent choisis avec un certain parti pris ou avec une intention de symbole.

7. Comme aux machines, l'auteur donne une âme aux maisons. Étudiez par quels procédés la grande bâtisse de la rue de la Goutte-d'Or s'anime, grossit, dispense la gaieté ou l'horreur, devient réellement une personne, un *personnage* du roman. Cf. les Halles dans *le Ventre de Paris*, le Paradou dans *la Faute de l'abbé Mouret*, le grand magasin du *Bonheur des Dames*, ou la Bourse dans *l'Argent*...

8. Montrez que cette peinture prétendument « objective » décrit la réalité *du point de vue de Gervaise*. Derrière ce luxe de renseignements techniques, précisez pourquoi et comment le lecteur suit en fait la pensée de Gervaise, s'intéresse à son destin, se pose la question de son bonheur, et du bonheur humain en général.

9. Comparez cette description avec certains tableaux impressionnistes. En quoi la technique de Zola rappelle-t-elle celle d'un Manet ou d'un Renoir?

10. L'*humour* de Zola. Pensez-vous qu'il comporte ici une part de satire sociale ?

11. Qu'est-ce que Zola a voulu évoquer par ce détail ?

12. Quels peuvent être les sentiments personnels de Zola sur la *Kermesse* de Rubens ? Soulignez les caractères communs aux deux artistes (cf. chap. VII).

13. 1º Étudiez le caractère de M. Madinier;

2º Zola critique d'art (cf. *Mes haines, l'Œuvre...*);

3º Dans cette scène, Zola a-t-il voulu ridiculiser les ouvriers ? Ou a-t-il seulement obéi au désir de « faire vrai » ? Pensez-vous qu'un public « bourgeois » aurait davantage trouvé grâce devant le romancier ?

14. Mallarmé exprimait une vive admiration pour cette portion du roman, « ces pages si tranquilles qui tournent comme les jours d'une vie ». Selon lui, Zola avait fait là quelque chose « d'absolument nouveau dont il avait doté la littérature ». Examinez ce jugement.

15. 1º Comment naît une amitié dans les milieux ouvriers. Appréciez la vérité de l'analyse;

2º Comparez le caractère des deux hommes — leur langage —, la langue dont use le romancier quand il parle de l'un et de l'autre;

3º Leur position politique concorde-t-elle à ce que vous avez appris des réactions de la classe ouvrière devant le coup d'État ?

16. A travers le luxe des détails techniques et le ton populaire et plaisant du récit, suivez attentivement la progression du drame et de l'émotion tragique.

17. Étudiez cette scène comme *tableau d'art*. Est-ce seulement de l'impressionnisme ? Chaque détail ne peut-il pas s'interpréter, au contraire, comme l'*expression* symbolique d'un sentiment ou d'une idée ?

18. 1º A quels signes avait-on reconnu que l'accident était *fatal* ? Quelles sont les circonstances qui en augmentent l'horreur ?

2º Pourquoi Zola a-t-il introduit cette « petite vieille » dans le récit ?

3º L'art de la narration chez Zola.

19. Analysez l'évolution du caractère de Coupeau : la progression de l'*ennui*, la conquête de la *paresse*, la *révolte* contre le destin, et bientôt la recherche d'un *paradis artificiel :* le vin. Comparez — *mutatis mutandis* — aux principaux thèmes des *Fleurs du mal*.

20. Observez comment les termes d'*argot* prolifèrent au fur et à mesure que Coupeau « s'avachit ».

21. Comment cette première ivresse de Coupeau — tournant capital de son caractère — est-elle amenée ? Quelle est la part de responsabilité de Gervaise ? Rappelez quelques autres preuves de sa *faiblesse*.

22. Étudiez l'art de la *description*. Que symbolise le battement des coucous ?

23. « S'il n'y a rien de si grossier que sa physiologie, il n'y a rien de si mince que sa psychologie », écrit Brunetière à propos de Zola. Le caractère de Gervaise, dans son fond et dans son évolution, vous paraît-il à ce point superficiel et faux ?

24. Justifiez l'emploi de l'argot dans ce passage.

25. Comment Zola rend-il sensible l'union étroite de l'être avec son *milieu* ? A quels signes reconnaît-on la sympathie de l'auteur avec sa créature ?

26. Analysez la *technique* de Bec-Salé et celle de Gueule-d'Or. Leur style ne correspond-il pas à deux *morales* ? à deux *esthétiques* ?

27. Edmond Lepelletier — par ailleurs critique intelligent et ami d'Émile Zola — écrit de Goujet : « Un parfait imbécile, ah ! le sentencieux raseur et quel insupportable prêcheur ! » Zola lui-même avait le sentiment « d'avoir un peu menti avec Goujet ». Qu'en pensez-vous ?

28. L'art du *fantastique* chez Zola. Qu'a-t-il hérité du romantisme (Hugo) ? Qu'a-t-il de spécifiquement *moderne* ?

29. Commentez le sentiment de Goujet contre les machines. Comment jugez-vous sa réflexion finale ? Discutez l'idée de Gervaise trouvant « trop bien faits » les rivets mécaniques et préférant ceux où « l'on sent la main d'un artiste ».

30. Quelles différences y a-t-il entre l'*argot* d'un Coupeau, par exemple, et le *parler populaire* de Mme Goujet ? Quel univers moral évoquent l'un et l'autre ?

31. Analysez les sentiments de Gervaise au cours de cette scène.

32. Faites ressortir la *continuité* du caractère de Gervaise.

33. Les qualités morales de Gervaise se détruisent peu à peu en même temps que ses qualités professionnelles. Observez l'action réciproque des unes sur les autres. Cette tentation de sommeil et de paresse ne vous paraît-elle pas dans la logique du personnage ? Relevez les signes qui pouvaient laisser prévoir ce relâchement dès le début du roman.

34. Zola éprouve-t-il les mêmes sentiments pour Coupeau que pour Gervaise ? Recherchez, en étudiant la personnalité du romancier, ce qu'il a donné de lui-même à son héroïne.

35. Distinguez les détails purement documentaires de ceux qui ressortent d'une imagination macabre.

36. Pourquoi Zola mêle-t-il toujours les voisins et tout le quartier aux événements de la vie des Coupeau ?

37. Que pleure Gervaise ?

38. Rapprochez cet enterrement de celui de *Germinie Lacerteux*, par les Goncourt, ou encore de celui de *l'Œuvre*, de Zola. Tirez-en des conclusions sur le goût du *morbide* chez les écrivains naturalistes.

39. Justifiez, du point de vue de la vraisemblance, ce recours désespéré à l'alcool. Zola ne donne-t-il pas à son héroïne quelques circonstances atténuantes ?

40. Comparez à cette description de la maison de la rue de la Goutte-d'Or celle du chapitre II.

41. Observez l'*élargissement* soudain de la scène.

42. D'après ce passage, dégagez les *tendances sociales* de Zola.

43. Appréciez l'humour particulièrement *noir* de cette page.

44. La part de la *pitié* dans l'œuvre de Zola. Dans quelle mesure peut-on rapprocher *l'Assommoir* des *Misérables?* (Cf. p. 147, le jugement de Victor Hugo sur *l'Assommoir*.)

45. Anatole France n'aimait pas la création de la petite Lalie. « Le prince de l'émotion, Dickens, eût pu seul animer de telles figures », écrit-il. Et vous-même, qu'en pensez-vous ?

46. Les médecins reconnaissent pour authentique cette description des symptômes de l'alcoolisme, qui a d'ailleurs été prise à des traités médicaux. Néanmoins, Zola en a tiré un parti *littéraire.* Comment ?

47. Appréciez les qualités de la mise en scène.

48. Comparez cette description à celle du chapitre II. Le ton a monté. Pourquoi Zola se sent-il autorisé maintenant à aller jusqu'au bout de son génie fantastique et épique ? Suivez dans ce passage et dans les suivants la genèse du monstre.

49. Étudiez l'art du *dialogue.* Songez à la réflexion d'Anatole France : « Vous ne pouvez traduire les pensées et les sentiments d'un être que dans sa langue. »

50. Essayez de transcrire ce texte dans une langue « littéraire ». Vous apprécierez ce qu'il perd non seulement de *couleur locale,* mais de *vérité humaine.*

51. En cette scène essentielle où Gervaise devient à son tour la victime de l'assommoir, vous réfléchirez à la morale implicite voulue par le romancier : l'influence des circonstances, du milieu, l'organisation sociale tout entière, *expliquent* — excusent presque — sa lamentable dégradation. .

52. Étudiez la *composition* de ce chapitre.

53. Comme celle de Gervaise, l'inconduite future de Nana (voir le vol. des *Rougon-Macquart* qui porte son nom) est déterminée par le milieu, conformément à la thèse matérialiste du romancier. Mais le même milieu a produit Lalie, une « sainte »... Peut-on résoudre cette contradiction ?

54. Observez l'expansion du *langage populaire* jusque dans les descriptions. Quel en est l'intérêt romanesque ?

55. Sous la précision clinique, *quel sentiment* se fait jour, finalement, dans cet affreux tableau ?

56. Suivez attentivement la *progression* du chapitre.

57. Énumérez toutes les circonstances qui expliquent cette prostration.

58. 1° Comparez ce récit au texte de Louis Ratisbonne cité en note ;

2⁰ Huysmans admirait ce passage, Anatole France n'aimait pas la petite Lalie, Hugo déniait à Zola « le droit de nudité sur la misère et le malheur »... Personnellement, êtes-vous ému ? Si vous l'êtes, recherchez les sources — littéraires et autres — de votre émotion. Si non, expliquez l'échec du romancier.

59. Appréciez la justesse du tableau (Zola a emprunté la plupart de ces détails au *Sublime* de Denis Poulot).

60. Éprouvez-vous de la pitié pour cet ivrogne ?

61. Ce passage vous laisse-t-il une image exacte de l'humanité, ou au moins de la société, et particulièrement du monde ouvrier sous le second Empire ? Qu'y a-t-il d'authentique ? d'outré ? Que pensez-vous de l'accusation formulée contre Zola d'avoir « calomnié le peuple » ? (On se reportera utilement à Georges Duvau : *la Vie ouvrière en France sous le second Empire* [Gallimard, 1946]. On comparera avec *Germinal*.)

62. Montrez l'intérêt de ce passage pour notre connaissance de Paris pendant les grands travaux d'Haussmann. Mais Zola a-t-il voulu donner un simple document ? Qu'est-ce que ce décor ajoute à la détresse de Gervaise ?

63. Zola *peintre des foules*.

64. Étudiez la *géographie* de *l'Assommoir*.

65. D'après les notes citées au bas de la page, faites une étude précise de l'*art* d'Émile Zola dans l'utilisation des détails observés.

66. Appréciez d'après le document cité en note page 115 l'exactitude de la description. Discernez-vous toutefois quelques détails qui manifestent une certaine complaisance de l'auteur pour le *morbide* ?

67. Les hallucinations de Coupeau : montrez que leur désordre apparent est en fait commandé par les obsessions longtemps refoulées de Coupeau.

68. Quelle idée Zola donne-t-il de la médecine et des médecins ?

69. Commentez cette conclusion.

———————

SUJETS DE DEVOIRS ET D'EXPOSÉS

Essai.

— Vous imaginerez comment auraient pu évoluer l'intrigue et les personnages de *l'Assommoir* si Coupeau n'était pas tombé de son échafaudage.

Dissertations.

— Vous discuterez si *l'Assommoir* justifie la définition que Jules Lemaitre a donnée des *Rougon-Macquart* : « Une épopée pessimiste de l'animalité humaine. »

— Quelle conception de la littérature voulait affirmer Émile Zola quand il dédiait *l'Assommoir* à Flaubert « en haine du goût »?

— Zola écrivait dans sa Préface aux *Rougon-Macquart* : « Je tâcherai de trouver et de suivre, en résolvant la double question des tempéraments et des milieux, le fil qui conduit mathématiquement d'un homme à un autre homme. » Ce déterminisme biologique et social explique-t-il entièrement les personnages de *l'Assommoir*? N'ont-ils pas leur part de « liberté »?

— Dans quel sens et dans quelle mesure peut-on parler du « matérialisme » d'Émile Zola?

— « Gervaise est la plus sympathique et la plus tendre des figures que j'ai encore créées; elle reste bonne jusqu'au bout », écrivait Zola dans *la Vie littéraire* (22 février 1877). Expliquez pourquoi Zola l'a conçue ainsi et comment il est parvenu à son dessein.

— Un critique écrivait que Zola « appartient à notre grande tradition morale, comme les incroyants appartiennent souvent à la tradition chrétienne ». Qu'en pensez-vous?

— Commentez ce jugement d'Albert Thibaudet . « La philosophie de Zola est courte, mais elle est exacte, elle est populaire, elle tient toute dans le mot *travail*. Zola a la religion du travail comme Balzac celle de la volonté. »

— Que pensait Mallarmé quand il félicitait Zola en ces termes : « Je ne connais pas un point de vue, en art, qui soit inférieur à un autre »?

● Le dessein de Zola et sa réalisation d'après cette remarque de Michel Décaudin dans l'*Histoire de la littérature française* (Larousse, 1968) : « N'allons pourtant pas faire de Zola l'imitateur maladroit des savants de son temps. S'il est vrai qu'il a voulu donner à son œuvre un substrat scientifique qui lui permette de serrer du plus près possible la réalité, il n'est pas prisonnier de principes dont la rigueur limiterait les forces de l'imagination créatrice : « Prendre avant tout une tendance philosophique, « écrit-il, non pour l'étaler, mais pour donner une suite à mes « livres. »

On étudiera le réalisme de l'Assommoir en tenant compte de ce jugement de Michel Raimond dans Le Roman depuis la Révolution (Colin, 1970) : « Il [Zola] prétendait dresser, dans ses romans, des procès-verbaux, et il construisait des œuvres fortement charpentées. Il prétendait à l'impassibilité du savant, et il versait dans ses livres ses facultés de lyrique et de visionnaire. Les théories scientifiques dont il n'a cessé de se réclamer n'ont été, en tout état de cause, qu'une sorte de stimulant de son génie. Comme l'écrit Guy Robert, « le naturalisme de Zola est beau-« coup moins sorti de Claude Bernard, du docteur Lucas et de « l'hérédité que de Balzac, de Taine, de l'influence des milieux ». Balzac, en effet, était l'écrivain qui, à ses yeux, avait apporté l'idée du siècle, l'observation et l'analyse. Zola empruntait à Taine et au positivisme le « sol philosophique » sur lequel il fondait sa notion du roman. La littérature d'imagination était devenue pour lui un instrument d'enquête et de vérité. »

Exposés.

— La composition de l'Assommoir.
— La géographie de l'Assommoir.
— L'art de la description.
— La peinture des métiers et des mœurs professionnelles.
— La peinture et la psychologie des foules dans l'Assommoir.
— La question sociale sous le second Empire d'après l'Assommoir.
— Réalisme et romantisme dans l'Assommoir.
— Les symboles et les mythes.
— Le style et la langue d'Émile Zola dans l'Assommoir.
— Comparez l'Assommoir et Germinie Lacerteux.
— Comparez les ouvriers de l'Assommoir à ceux de Germinal.

TABLE DES MATIÈRES

Imprimerie Hérissey. — 27000 - Évreux.
Dépôt légal Mai 1972.
N° 33314 — N° de série Éditeur 11885.
Imprimé en France *(Printed in France)*.
34 980 C Janvier 1984.